【電視小說05】

大長今

中

金榮眩◎劇本　柳敏珠◎撰寫　王俊、游芯歆◎譯

電視小說05

大長今(中)

劇　　本——金榮眩
撰　　寫——柳敏珠
譯　　者——王　俊
修文潤稿——胡洲賢
責任編輯——陳嫺若

發 行 人——涂玉雲
出　　版——麥田出版
台北市信義路二段213號11樓
電話：(02) 2351-7776 傳眞：(02) 2351-9179
發　　行——英屬蓋曼群島商家庭傳媒股份有限公司城邦分公司
台北市中山區民生東路141號2樓
電話：(02) 2500-0888　傳眞：(02) 2500-1938
讀者服務專線: (02) 2500-7397
網址：www.cite.com.tw Email: cs@cite.com.tw
郵撥帳號——19833503
英屬蓋曼群島商家庭傳媒股份有限公司城邦分公司
香港發行所——城邦 (香港) 出版集團有限公司
香港北角英皇道310號雲華大廈4/F, 504室
電話：(852) 2508-6231 傳眞：(852) 2578-9337
馬新發行所——城邦 (馬新) 出版集團
Cite (M) Sdn. Bhd. (458372U)
11, Jalan 30D / 146, Desa Tasik, Sungai Besi,
57000 Kuala Lumpur, Malaysia.
電話：(603) 9056-3833 傳眞：(603) 9056-2833
印　　刷　禾堅有限公司
初　　版　2004年6月
一版九刷　2004年12月16日

ISBN　986-7537-866
售　價：250元

第八章　姮娥

乍看之下，政浩的側面看似有點像當時那個受傷倒地的軍官，就連飽滿略方的下巴線條也是一模一樣，但長今想想卻又搖了搖頭。就算是大白天，那天松坡渡口附近的樹叢也實在是太陰暗了。

加上那名軍官在倒下的時候頭上的戰笠也一併歪斜遮住了臉，所以只能稍稍看到了嘴唇和下巴的輪廓。或許有人會說僅僅看到嘴唇和下巴就等於什麼都沒看到，但還是有一項重要特徵，就是鬍鬚，一看即知是男人的下巴。

再者當時的自己既爲了要找藥草，又要搗爛，根本沒有餘暇和心情好好記住那張臉。就算有那種時間好了，也沒有膽子取下戰笠，仔細看清男人的臉啊！不過長今還是看到並牢牢記住了一個特徵，那就是在包紮傷口時曾看到男人肩膀上有三顆痣，位置就像個正三角形，彷彿滴墨般鮮明。

長今用著不同於以往的眼神重新打量政浩，雖然現在他穿的是湛青色官服，並戴著單角紗帽，但他的職位是內禁衛從事官，想起他同屬於父親生前執勤的內禁衛，長今看他的眼神總不自覺的溫柔起來。

一想起父親，腦海中不期然的浮現校書閣書桌上紅黃藍的三色流蘇垂飾。長今心想那無論如何都是父親的遺物，總是要想辦法找回來。

「大人，您還記得我到校書閣去那天的情景嗎？」

「當然記得。」政浩的語氣包含著怎麼可能會忘記的感覺。

「那麼，您也記得有位大人問我去校書閣做什麼嗎？」

「妳是說問妳一個宮女到校書閣有什麼事的那位李正勉嗎？」

「李正勉……」長今覆誦著他的名字。

「怎麼問起那個人的事呢？」

「實際上……」長今欲言又止，總不好問政浩有沒有看過那人肩膀，上頭是否有三顆墨痣？或是知不知道放他桌上的三色流蘇垂飾從何而來吧。

「啊，沒什麼。」

「到底是什麼事情啊？還是說妳到校書閣去的事惹了什麼麻煩嗎？」

「不是的，是我好像有點誤會的樣子。」

政浩的臉上充滿了好奇，只是看長今不開口，也就不再追根究柢了。但眼中隱然還是盛滿了問號。

明明已是該道別的時刻，然而兩人卻都依依不捨，一副舉步維艱的樣子，最後先向前踏出腳步的人是政浩。顧慮到旁人的眼光，不好並肩同行，於是相距五、六步之遙，長今在後頭亦步亦趨地隨行。

走到愛蓮亭池塘邊時，政浩突然停下腳步，過了池塘以後，這條小徑上便沒有多少宮女來回了，所以此刻是分別而去最好的時機。政浩懷抱惋惜的心情，回身看著長今。

「每回建築樓閣，總會在旁挖個池塘，再在池塘中放個小島，據說是爲了調和天地人之意。」這分明是爲了拖延分開的時間而刻意的在找話說。

「那麼，什麼代表人呢？」長今也自然而然配合著問。

「中間那棵松樹就是代表人啊。」

愛蓮亭延續到池塘中間圓形的人造小島上，簡潔雅致，前面栽植一株松樹，枝幹挺立。就這麼一個小池塘，已將天、地、人都包含在內。

長今無言地看著池塘中央，白的是蓮的花苞，黃的是月的倒影。一個小小的池塘裏，便有著如此多的東西，更何況是人心呢？

長今眼望著池塘，心中卻對自己身爲宮女的職位與身分有了深切的體認。做爲宮女，若要離開王宮只有兩種可能，一是年老體衰或疾病纏身；再不然就是所侍候的主子病逝，但仍須服完三年喪，扶神主牌位歸祭宗廟或祠堂後，方能返家。

然而，即使離開王宮也不准婚嫁，亦不能成爲他人妻妾。一朝爲宮女，不管身在王宮內外，至死爲止，都是屬於王上的女人。

於是就有宮女將池塘裏的鯉魚比喻成個人的心情：

前面池塘裏的魚兒啊！
是誰圈圍你生活於此？
不去寬闊海洋，不去清澄蓮池，何以居此？
進來後就出不去的心情，你我又有何差異？

王宮就是池塘，自己就是池塘裏的鯉魚，然則現在已不能說要或不要，若是要又該如何承接那沉靜凝注的眼光呢？長今決定不閃也不避，就那樣默默的與對面的政浩四目交接。如果說這世上有所謂強烈又純粹之物，大概就像是他此刻專注的目光吧。

內人儀式結束後，連生和長今分配到一室。一開始連生是被分配去與令路同房，豈料她卻每晚必泣，硬是對著崔尙宮一把鼻涕一把眼淚的哭哭啼啼，之後就變成這樣的結果了。

成爲內人後第一個正式休假出宮前的夜晚，韓尙宮將長今喚到自己處所，默默的把一個用絲綢包裹的東西推到長今面前，嚴肅的神情當中，還隱含著一抹異常的悲壯。

「這是一把菜刀。妳現在已正式成爲內人，該是擁有一把專屬菜刀的時候了。」

「您是在何時連這種東西都準備好了的呢？我答應嬤嬤有生之年一定會好好珍惜使用。」

「這把刀是我最知己的好友用過的，就是我提過遭陷害被逐出王宮的那位好友。」

「這麼貴重的菜刀何以要送給我呢？」長今確有滿心的惶恐。

「妳不是說有生之年定會珍惜使用嗎？」

「是的，嬤嬤！」她肯定的應答。

「《論語》雍也篇中說知之者不如好之者，好之者不如樂之者，那是什麼意思妳知道嗎？」

「知道不如喜歡，喜歡又不如樂在其中，大概是這樣的意思吧。」

「沒錯，對一件事情不管知道得再多，仍比不上喜歡這件事情的人。到目前爲止，我教給妳的都只是料理的技巧，如若不能超越一項技術，達到神乎其技的地步，就算成爲最高尙宮，也不過就是個多才多藝的人罷了。而神技關乎用心與否，從現在起，妳要超越的對象就是妳自己。」

「但是嬤嬤，單是侍奉王上用膳，如何能夠樂在其中呢？」

「《莊子》養生篇中曾提到庖丁解牛的故事，說最初只見牛體，無從下手；但三年後已不見牛體，只見牛體內的間隙。」

「但眞的能憑心意解牛嗎？」

「那是因爲他已不用外在的感官去接觸牛體，而是依憑自己的心意，完全順著牛體的結構去解牛的關係。庖丁曾說，優秀的廚子每年換刀，而普通的廚子每月換刀；每年換刀者是以刀切割筋肉，每月換刀者則是以刀斫劈骨頭。然而庖丁十九年下來解牛無數，刀卻一次也沒有換過，始終像是新磨好的一樣，因爲他不是拿刀斫骨，而是依照牛體的結構尋找間隙，將刀插入空隙中，如此便可支解骨頭，輕易讓牛肉紛紛散落。」

「那是只有匠人才能到達的境界吧。」

「我要說的不是庖丁的故事或他的技術，我要說的是關乎「道」的含意。若僅執著於技術的話，便無法樂在其中，而無法樂在其中的話，就無法到達「道」的境界。因此這條料理之路，能否執一刀而終，或是須不斷換刀，就要看妳的決心了。」

長今小心翼翼的打開綢布包，拿出菜刀來，那彷彿才剛磨過不久的鋒利刀刃，立刻在眼前泛發藍光，也不知道爲什麼，長今頓感心緒翻騰，竟湧現一股懷念的感覺。

「……我這位好朋友曾經一心想著要成爲最高尚宮，也和長今妳一樣，總是充滿了好奇心和俠義的精神，我們之間友誼之深厚無人能比。如果妳可以透過這把菜刀領悟神技，那麼我就會像彷彿我的摯友達到她的夢想一般高興。」

「我一定謹記在心，嬤嬤！」

重新將菜刀包進綢布中，長今的手指忍不住輕顫，因爲這把菜刀滿載著自己、韓尚宮，以及韓尚宮摯友的心願。

「妳明天一早就要出發開始妳的出宮休假，早點回去休息吧。」

長今收好菜刀離開了韓尚宮的處所。那些就算用心努力，也得不到一點機會，茫然中不知夜幕低垂，完全不知所措的孤寂夜晚又再度湧現韓尚宮心中。這段時間讓韓尚宮清冷的心變得溫柔起來的，不光是拜歲月流逝所賜，或許原本失去摯友卻得獨活下去的悲痛，現在透過漸漸成才的弟子多少獲得紓解，才是眞正的原因吧。

對長今而言也是一樣的，以失親孤兒之身進入宮中，在這無比險惡之處遇見了韓尙宮，兩人雖無血緣聯繫，但她卻像母親一般的照顧自己。能夠跟著不是血親，卻始終予以血緣至情般愛護的韓尙宮學習，眞是天大的福分，或許那也就是在失去一切的絕望中，還能堅強活下去的理由。

就這種意義而言，德九一家子也可以算是自己的親人了。

「那麼說，結果基礎之椿都釘好了是吧？」

德九的妻子在接受跪拜禮時的滿足笑容霎時消失，即刻換上一副明知故問的嘴臉，而德九一聽到她這麼問，也立刻像狗被踩到尾巴似的一躍而起。

「嘖，長今姑娘現在已經成爲正式的內人，相當於從九品官階，怎麼可以用那種語氣跟她說話。您說對不對啊？長……今？」

「『您說對不對』是什麼？『長今姑娘』又是什麼啊？」德九的妻子回嘴。

「請兩位還是像以前一樣隨意和我說話就好，如果沒有兩位的幫忙，我也無法走到現在這一步啊。」

「就算是這樣也不行……」德九先發難。

「她叫我們像以前一樣隨意說話就可以了啊。」德九的妻子卻顯然樂於接受。

「那樣眞的可以嗎？」於是德九再問。

「當然可以啊，您兩位對我而言，就像是娘家父母親一般。」

一聽長今這麼說，德九的妻子馬上又露出窩心極了的樣子。

「老傢伙，你今天到別的地方去睡。」

「眞的？那以後可別又給我囉哩囉嗦的說什麼哦。」

「你這人又在胡說八道些什麼了。我這娘家的母親有太多的話要和女兒聊，你到一道的房間去睡吧！」

仔細想想，自從進宮以後，就再也沒看過一道，算算他的年紀，現在也該是個強壯威武的男子漢了吧。

「一道過得還好吧？」長今關切的問。

「別說他了。」德九的妻子卻說：「那小子該娶老婆的年紀了，卻還不去幫我討個媳婦回來，成天盡想著要進內禁衛，我看他乾脆在那前面紮營過日子算啦！」

「幹嘛啊妳？難道我們一道就進不了內禁衛嗎？」

「內禁衛是那麼容易進去的啊？那是侍奉王上身邊、是個了不得的地方，那小子要後台沒後台，要家世沒家世，要錢也沒錢，兩手空空，還敢說什麼內禁衛！什麼都不會的小子，我只指望啊，至少在跟人吵架時，也要有個吵贏的本領。」

「唉，妳這人眞是的，因爲就這麼一個寶貝兒子妳管不住，心裏就不舒服了，對吧？」

「就是因爲只有這麼一個寶貝兒子才管不住，如果有兩個的話，早就被我管得死死的了，還說。」

長今把嘴唇咬得緊緊的憋住笑，這兩個人就是這樣，只要一對上眼就開始鬥嘴，但如果其中一人不在，剩下的另外一個又會覺得無聊，做什麼事都提不起勁來。

攤開被褥，並排躺下，還眞的有種回到娘家來的感覺。喪母之後，八歲來到這裏，在這裏整整度過了漫長的兩年。剛來的時候還是個孩子，離開的時候已具少女雛形，而現在成了內人又再度回到這個地方，長今忽覺百感交集，眼淚差點流了下來。

「這是妳自開創出來的路，現在再怎麼樣也回不了頭了，宮女的生活可不是想像中那麼容易過的啊。」

耳邊傳來德九妻子的聲音，聽起來卻彷彿在夢中一樣的遙遠。

「自古以來，時候到了，被男人擁抱在懷裏，然後經過生產的陣痛，產下自己的孩子，養育孩子長大成人，這一連串的過程就是女人的宿命啊！女人懷孕最好的時機就是妳現在這個年紀，想到妳就要這樣以宮女之身終老，眞教我覺得可惜。」

「怎麼會呢，如果可以成爲最高尙宮侍候王上飮食的話，那種成就感，可比只做一個男人的女人過一生還要値得呢。」

「妳哦，眞的那麼喜歡煮飯啊？別只想著要侍候王上飮食，有空也想想要怎麼爬上王上的床吧。反正這輩子既然都要住在宮裏，那麼比起廚房裏的大灶，我想王上的懷抱還是比較溫暖的是吧？嗯，一定溫暖多了。當最高尙宮幹嘛，還是想辦法成爲王上的女人吧。」

長今猶豫了一下後說：「……我還是喜歡成爲最高尙宮。」

「以處女之身終老一生，妳眞的喜歡？妳喔，要是眞的懂，才好下定決心啊！」

德九的妻子不知道是在嘆息還是在勸告，吐出這句話後，便來個大翻身。側躺過去的她，嘴裏猶幽幽的說著：

「說是這麼說，我還不是每天像個宮女一般度過漫漫長夜……」

第二天一早，長今才吃完飯，放下碗筷便起身說要離開了。

「這麼快就要走了啊？吃完晚飯再走也可以啊。」

德九露出快哭的表情，顯示出那絕不是隨便說說的應酬話。德九妻子則一直沒作聲，只塞給正要跨出門檻的長今一個包袱。

「拿去。本來第一次出宮休假後，要準備一些吃的回去的……」

德九的妻子周全考慮讓長今心中備感溫暖，德九也跑了出來，眼睛睜得大大的。

「哎唷，妳什麼時候連這種東西都準備好了啊？」

「嬸嬸，謝謝您！」長今由衷的道謝。

「說什麼謝啊，」話是這麼說，但馬上又提，「噢，對了！還有這個也拿去吧。」

德九的妻子塞給長今一本像小冊子的東西，打開第一頁只看到一堆密密麻麻的數字。

「成爲內人以後，俸祿也增加了吧？準備這些食物的材料共花了十兩銀子，往後每個月妳還我兩斗米好了，共需一年的時間，加上烹煮的辛苦，我看就隨便算妳個大概，只要在一年半內還清即可。妳和我之間如果算錯的話可就麻煩了，所以別忘了要在那上面做記號啊，這樣以後才不會有什麼怨言。」

「妳這女人還眞像隻吸血水蛭，還在想說妳是怎麼了呢，我就知道其中有詐……前不久還在說什麼娘家母親的……」

「就是這樣我才要教她天下絕沒有白吃白拿這個道理啊，她若一輩子都要住在宮裏，就得學習變得更強更狠才行。」

「妳再說啊！真是個小氣到家的女人，未免也太無情了吧。」

長今就這樣帶著食物來到母親墳前，以食物代替野草莓祭拜母親。距離約定日已過了十年，好不容易才又回來這荒涼的山腳下，但四周已經不見野草莓的蹤跡，只看到茂密生長的麒麟草。

長今想起小時候常在白丁村後山奔跑遊玩，和男孩子們比賽看誰捉的蝴蝶多，想起了如果是因爲在麒麟草叢找到蝴蝶而贏了比賽的話，就無人佩服，因爲大家都知道紅點粉蝶最喜歡在麒麟草叢裏產卵，再吸取麒麟草花蜜，把那兒當成了自己的家。

「母親……」

長今對著母親的墳前行大禮，離上次行禮已整整過了十年。洞穴裏的筍狀石十年下來也看不出有什麼改變，但那時才八歲大的小孩，如今卻已成長爲一個纖纖淑女。當年徒手堆疊的石塊仍和十年前的那天一樣散置，沒有生命的東西不會成長，也不會死亡，或許也正因爲無悲無喜，所以可以永不變化。

曾爲賢妻良母的母親，雖然想當宮女的夢想破滅，但從那夭折的夢想裏誕生出來的生命，此刻卻站在這裏目睹一切。就如同麒麟草餵養紅點粉蝶般，只要生命力仍在，不管是何種生物，終會養育出另一個生命來。但是或許正如德九妻子所言，宮女的一生是逆天而行，這點直到站在母親墳前，長今才算眞正有了刻骨銘心的感受，然而她又不服輸的想：可以懷抱養育的，難道就只有生命嗎？眼淚終於奪眶而出。長今心想或許從在母親肚子裏找到安身之地起，自己就已經被母親刻畫下兩人傳承的夢想了。

成爲御膳房內人，開始接受正式御膳訓練，一下子也過了一個多月。突然傳來旨意說原本預定好的國王狩獵行程要提早兩日在五天後進行，水刺間霎時一片譁然。

內侍府裏緊急發下擬好的菜單，最高尚宮也指定了由韓尚宮率領前往狩獵場的內人名單，今英從銀器室取來烹調時要用的銀製餐具，長今從司饔院裏領回食材，韓尚宮和閔尚宮則看著菜單，忙著收拾自調味料算起，屆時會使用到的各式材料。

國王的狩獵一般都從十二月臘日左右開始，此時稱爲內饌，由內饌燒廚房做好一切用膳準備後出發，回宮時依慣例則必須準備好臘日火鍋進饌。如今，從臘日不到就要開始狩獵活動看來，國王的心情大概眞的很不好吧。

當中宗還是晉城大君的時候，就已經和大臣愼守勤當時才十三歲的女兒愼氏完婚。愼守勤自姊姊成爲燕山君的後宮妃子後便開始飛黃騰達，一路晉升到左議政的位子，不僅是王上的妻舅，也是他身邊最親信的人物，可謂權傾一時的名門世家，而燕山君始終所以沒有賜死異母兄弟的晉城大君，或許也因爲他是自己寵妃侄女婿的關係。反而愼守勤因拒絕接受朴元宗擁立女婿晉城大君共同謀反的建議，以至於中宗奪權叛變成功後，愼守勤即遭柳子光一黨的人殺害。因此對愼氏來說，丈夫即位之日即父親遭殺害之時。

晉城大君即王位後沒多久，便提到想冊立愼氏爲后，卻遭到謀反功臣的強力反對，只好作罷。表面上的理由是愼氏姑母爲燕山君的妃子，父親則是燕山君的小舅子，但實際上是害怕一旦愼氏成爲王后之後，便會爲父親愼守勤之死展開報復行動，結果愼氏在丈夫即位不過八天之後，就被逐出了王宮。

就因爲是謀反功臣的眼中釘、肉中刺，中宗只好把同甘共苦過的糟糠之妻送走，但同時也把自己最珍愛的馬偷偷送給愼氏，要她勿忘昔日夫妻情份。

據說愼氏親手餵食中宗所送來的馬吃馬糧粥時，曾百般無奈，千般傷感的嘆息說：

「只能這樣與王上的愛馬相見，卻見不到王上，就請你多吃點馬糧粥，回去好好侍候王上吧！」

中宗違抗不了擁戴自己登上王位的功臣壓力，只好把自己的糟糠之妻放逐，同時卻又想盡辦法向愼氏表達了他的深情不悔。這段期間正好是愼氏被逐出王宮，居住在河城尉鄭顯祖府上的時期。就算只能看到小小的影子也好，愼氏爲了遙望景福宮，時時登上仁王山遠眺，思君之情由此可見。每當無法壓抑思念之苦時，她就會爬上最高的樓閣，眺望那個方向。愼氏娘家得知此事後，爲了讓遠方也能明顯的注意到，便將愼氏的大紅裙披覆在岩石上。然而愼氏後來移居竹洞宮，所以就連這樣的登高思念也無法繼續下去，終落得與中宗生離死別，與日夜難忘的人，至死也無法再見一面，僅留下仁王山紅裙岩石的傳說就抱憾離開了人世。

騎在馬上不停的前後照應，管制著整個御駕隊伍的人，正是內禁衛的從事官閔政浩，高超的馭馬技術與挺拔的軍裝模樣威風凜凜，而一看到長今參雜在隊伍後面的身影，他的眼睛馬上爲之一亮。

晴空無雲、涼風徐來的狩獵場秋色宜人，中浪川與漢江交會的江畔草地寬廣，從朝鮮初期開始就成爲一處養馬場。環繞河川而生的如茵綠草，就是從當今的馬場洞起，經沙斤洞、往十里、杏堂洞，至纛島爲止的這一片土地，也是放牧馬匹最好的地點。纛島也是國王校閱軍隊軍容之所，國王御駕出巡時慣例要插上象徵君主的纛旗，故將此地稱爲纛島。

青草與柳樹染綠了的纛島平原，騎馬的王上領頭在前，王族與臣子則隔幾步列隊在後。

「獵到最大隻猛獸者有賞，大夥盡情狩獵吧！」

鑼鼓喧天當中，王上縱情馳騁，帶頭衝出。

「鶴翼陣！」

在閔政浩的號令下，內禁衛官兵馬上形成白鶴羽翼形狀的陣仗，護衛在王上之後。

一排排長型的遮陽帳篷裏，長今一面聽著馬蹄聲陣陣遠去，一面切著蔬菜。閔尚宮嘗了嘗沸騰滾煮的肉湯味道後搖了搖頭。

「味道怪怪的。」

調方馬上答話說：

「爲了要消除奇怪的雜味，已經放了一點酒下去，可是那股怪味還是沒有消失。」

閔尚宮和調方一起又再舀了點肉湯嘗了嘗，一嘗之後，頭就搖得更加厲害了。

韓尙宮也過來舀了口嘗嘗，同樣歪著頭一副不解的樣子。

「拿最大的湯杓過來。」

接過調方拿過來的湯杓後，韓尙宮開始在大鍋裏用力攪拌，仔細觀察肉骨湯裏的材料，發現附著在大骨上指甲大小的白色塊狀油脂有點奇怪，隱約浮現藍色，就算是油脂好了，變得硬硬的也很奇怪。

韓尙宮扯了一點下來試味道，馬上吐了出來，近乎慌張的問：

「剛才從海螺裏摘下來的有毒部分放到哪裏去了？」

「我放在那邊，打算另做處理。」

閔尙宮一面回答一面用手指，調方跟著指的方向看過去，臉色突然大變。

「那、那、那邊盤子裏盛著的那、那些東西就是……我、我、我以爲是大骨的軟、軟骨……」她不但說話結巴，模樣也變得奇怪起來。

「什麼？這麼說妳把那些東西全都倒進肉湯裏去了嗎？」

韓尙宮瞪大眼睛詰問的同時，閔尙宮突然身子一歪就昏倒了。

「哎呀，我的天啊！」

「閔尙宮！閔尙宮！」

聽到呼叫聲的長今和今英趕緊丟了手裏的菜刀跑過去，混亂之中，只見連調方也跟著倒在閔尚宮的身上，兩人雖非陷入昏迷狀態，看起來卻像是全身麻痺，動彈不得。等韓尚宮她們三個人半拖半拉著這兩個人到臨時搭蓋的處所時，萬萬想不到連韓尚宮的樣子看起來也不對勁，先是眼珠子找不到焦點，接著額頭不停的冒出冷汗，可謂雪上加霜。

長今忽然感到萬分恐懼。

「嬤嬤，這該不會是一種致命毒素吧？」

「是不會毒死人，只不過會有好一陣子無法動彈……」

「但嬤嬤嘗了海螺的整個有毒部分，這下子該如何是好？」

「先不管這個，王上去狩獵，大概酉時時分便會回駕，留在這裏的人手還有幾名啊？」

「內侍府的人都隨從外出了，現在這裏只剩下我們兩人和生火的伙夫。」

「看來只好靠我們三個人了……」韓尚宮的聲音漸漸低去。

但即便只能如此，韓尚宮臉頰的肌肉也已經開始麻痺，連聲音都快要發不出來，眼珠子也變得不太靈活，漸漸無法分辨眼前的東西，可是盡責的韓尚宮在這種狀態下仍拚命掙扎著，想以不穩的腳步向外走去。

可是她顯然已無法分辨橫亙在眼前的物體，甚至連東南西北都搞不清楚，就這樣被凸出的石塊絆倒在地，急得今英趕緊跑出去扶起她。

「您這樣實在是太勉強了。」

「不，王上狩獵完回駕時，一定非常飢餓，絕對不能讓殿下等待。就算僅夠殿下享用的肉湯，也一定要用剩下的肉熬煮出來。」

韓尚宮的身體已動彈不得，只能睜大眼睛了，心裏光擔心著國王的用膳，長今知道自己再也無法袖手旁觀，便說：「就算要翻遍整個狩獵場，我也會把長値內侍公公找來。」

「你就算把長値內侍找來，沒有材料也是沒用啊。」

看著韓尚宮咬緊牙關，就算只是攀住遮陽帳篷的柱腳，也執意想要站起來的樣子，長今眼淚都快流出來了。然而身不由己再度跌倒的韓尚宮此時也不得不放棄，只好把長今叫了過來。

「長今啊，你要幫忙今英。今英啊……」

「是，嬤嬤！」

「從現在開始由妳負責主廚的工作，妳從小就熟習各種料理，我相信妳一定沒問題的。幸好還有另外幾道菜，主菜就用狩獵捕獲到的獸肉，那些官員自然知道該如何料理，所以妳們只要再準備幾樣菜和煮好飯就可以了。做得到……吧？」

韓尙宮費力的詢問，但今英卻沒有爽快的答應。站在那裏手足無措的長今來回看著韓尙宮和今英，忍不住就先開了口：

「這麼重大的事情憑我們兩個人怎麼能夠……」

「我願意試試看。」

長今話還沒說完，今英便從中插話，聲音裏有著毅然決然的堅定。長今不敢置信的望著今英，或許一樣心懷恐懼，但今英的側臉看起來已轉爲堅決。

「好，只要雙腳恢復能走動，我一定會過去看看。已經浪費了很多時間，快點準備吧。」

扶著韓尙宮躺下後，朝著臨時搭建的膳房廚帳走去的長今，腳步眞如千斤般重。反觀今英卻一口氣跑了過去，而且看一眼堆積如山的食材後，就開始拿起菜刀準備動手。

「首先要準備涼了也不會走味的魚膳和小黃瓜涼拌，所以妳先把魚洗乾淨，我再來片成魚片。」

長今心裏有話卻說不出口來。

「然後，肉骨湯已經有了，只要再放蘿蔔下去一起煮。妳把蘿蔔處理一下，煮一煮用湯杓撈起來放著，別忘了要撈那些不太厚的……」

「……」長今光聽沒應。

「湯蔥捲一下子就可以川燙捲好，妳放在最後準備好給我好了。對了，湯蔥捲裏要放肉片和雞蛋，那些也要一併準備好。」

「……」

「還有要加進沾醬裏的調味材料也要做好。」

今英彷彿根本不想聽到回答一般，只顧著埋頭做自己的事情。

那種主攬大權的模樣讓長今氣在心裏，什麼事都不給她碰，自己就只能站著旁觀而已，卻又不能不幫忙，長今嘆了一口長長的氣，最後也只好抓起一條魚來，但那也只是裝個樣子，心思根本無法集中。

但今英才不管長今的心思，最後已開始拿刀把每條小黃瓜斜切成片，並把剝了皮的魚片成薄薄的魚片，再把牛肉切成細絲。今英片魚及其他純熟的手藝都令長今看了咋舌。

長今雖也一下子沾蛋液，一下子切菜，一下子燙長蔥，忙得不可開交，但視線老是飄向今英，什麼事也沒辦法專心的做。

等到要呈上的料理都準備好了以後，便開始修剪裝飾用的花。這時大殿別監突然進帳來找韓尚宮，今英和長今兩人像是約定好似的一起開口詢問是不是王上狩獵回來了。

「冰塊準備好了嗎？」

也不知道到底有沒有聽到她們兩人先前的詢問，別監只顧開口找冰塊。爲了要維持魚肉的新鮮，確實是備有一些冰塊的。

「冰塊有是有，不知道您要用在什麼地方？」

今英帶著訝異的表情反問。

「有就好。尚膳內侍公公下令要我們準備冷麵。」

「什麼冷麵？」

「公公說王上狩獵回來，汗流浹背，想嘗點清涼的東西。要連宗親大人們的份也一起準備好。」

「天氣轉冷了，不是該享用些熱食才好嗎？」

「這是王上的吩咐。」

別監公公一股腦兒的說完之後就快步離開了，留下長今手足無措，今英腦中混亂，表情複雜。

「我們自己來做冷麵看看吧。」最後今英決定，「就算王上回駕，也會先享用狩獵回來的獸肉，還是可以拖延一些時間的。」

「話是這麼說，但妳拉過麵條嗎？」

今英果如長今所料搖了搖頭，但臉上卻顯現出即使從來沒有拉過麵，也決心要做出冷麵的樣子，問題是眼前連肉湯都成問題，暫且不管有沒有足夠熬煮肉湯的肉，在時間上都十分的緊迫。

長今腦袋裏想著乾脆撒手不管算了，但嘴裏卻冒出莫名其妙的話來：「蘿蔔泡菜的湯汁！」

一聽到這句話，今英馬上掀開放在各種醬料中的白瓷大甕查看，長今也慌忙跑過去一起看，但蘿蔔泡菜的漬汁卻只到甕一半左右的分量，要連同宗親世族的冷麵湯汁一起做的話，這樣的分量根本不夠用，就算加梨汁下去可以增量好了，味道也一定會變差。

今英和長今挪開落在蘿蔔泡菜漬汁上的眼光，彼此對望卻同感束手無策。然而兩人卻都不肯率先輕易的說出放棄的話。只要就此罷手，便可以從令心情緊縮的負擔當中解脫出來。雖然心情沉重，但辦不到的事就是辦不到啊！儘管心中拚命這樣爲自己找藉口，但實際上兩個人卻都緊咬著牙關，無論如何，就是不肯說出放棄的話，只瞅著對方的表情互相揣測彼此的決心。

這時，長今的腦中突然靈光一閃。

「我到一個地方去去就回。」

「妳說什麼？」今英一副「妳瘋了不成」的表情說：「還有比這更急迫的事情嗎？」

「我回來之前，妳先把麵拉好，肉湯也煮好放著。」

「長今，妳到底要去哪裏？」

雖然今英的怒吼尖銳，但長今還是只留下一句：「馬上回來！」就跑出了遮陽篷。

前來的時候還沒什麼感覺，等時間一緊迫，就覺得怎麼那麼遙遠，但已經起頭的事情，總要堅持到底，長今一面這樣想，一面努力向前進。一手提著水桶，另一手則挽著裙襬不停的跑，前後也不知道跌倒了多少次。眉頭緊皺，刮破的臉上滿是用手抹過的指痕，但汗水仍一滴滴不停的流下，被樹枝刮傷和石頭絆倒跌傷的部位不斷傳來隱約的疼痛。汗水甚至流進了嘴裏，既苦又鹹。

來的時候曾經看到的山泉水塘感覺上好像有二十里遠，幸好最終還是找到了，但一滴滴流下來的泉水既慢，感覺上也不是那麼清涼，等著接滿水桶的長今心中充滿了深深的焦慮。

好不容易接滿一桶水，走下崎嶇小徑，腳卻不小心一拐，身子立刻傾斜倒向一旁。小心翼翼不讓水撒出來的心血完全白費，結果是水桶掉了，長今整個人也跌倒在地。

好不容易裝滿的水傾倒得一滴也不剩，水桶翻滾之後落在一旁，長今驚惶失措的看著這一切，全身難過到彷彿要嘔吐一般，終於忍不住開始嗚咽起來。知道光哭也無濟於事，但眼淚就是不停的湧出來，刹那間完全無法可解內心的悲痛。

哭了好一陣子之後，長今才發現腳好像有問題，可能在摔倒的同時扭到了。長今脫掉棉襪查看，腳踝腫得老大，而且一片淤青。好不容易撐起身子來嘗試走幾步，結果步伐不穩，走是可以走，卻不知要走多久才回得去。此刻也顧不得山泉水了，能不能在日落前走回今英所在的地方都是個問題。

茫然的長今失神的低著頭看滾落到一旁去的空水桶，感覺上好像連水桶滾落的地方都走不到。就在這個時候，小徑彎處突然出現了一名士兵，看到長今連忙跑過來擔心的問道：

「我剛好經過這裏聽到哀叫聲，趕快過來看看，姮娥❶您怎麼會在這種地方呢？」

聽了整個事情經過之後，士兵眉頭深鎖，腦子裏翻來覆去在想著有什麼解決的辦法。

「王上的狩獵活動還沒有結束，目前就在離這裏不遠的地方。」

「這麼說附近還有其他許多士兵囉。」

「是的。水我會再去提來，但姮娥您若無法回到廚帳去也是沒用啊。我這就去向長官稟告，設法找一匹馬來。」

「這樣眞是幫了我一個天大的忙，但勞煩您如此辛勞可以嗎？」

「您不也是爲了要做讓王上享用的冷麵才如此費盡心思嗎？」

士兵的回答讓長今感到無比欣慰，好像解決了一個心頭大患般立刻輕鬆起來。儘管光是坐著腳也隱隱作痛，但長今還是拚命把水桶撿了回來，在這短短的時間裏，士兵也回來了，雖然身影不大，但仍看得到他後面跟著一匹馬。

正想著騎在馬上的軍官看起來怎麼有點眼熟，就發現原來是閔政浩。而他也是一看到長今，便立刻下馬奔過來。

「聽了士兵的報告，我心想或許是妳就跟過來看看，結果還眞的是姮娥妳啊！怎麼會摔成這個模樣呢？」

❶對宮中內人的敬稱。

長今無法做三言兩語的回答，直漲得兩耳通紅。

「腳受傷了嗎？」

「好像是這樣。」

政浩單膝著地，輕輕的抬起長今的腳踝觀察，但即便是這麼輕柔的動作，仍讓長今痛得差點大叫出來。看著長今忍痛的樣子，政浩馬上對士兵說：

「非上夾板不可，你去找找看有沒有可以使用的樹枝，有的話就撿回來。」

「大人！」長今攔阻道：「先別管我，取水送回廚帳去的事情更要緊啊！」

這時政浩回頭凝視長今，那眼神中的關切雖讓長今安心下來，但同樣快速湧現的熾熱卻又讓長今難以承接，甚至有點手足無措到不知該如何是好，只好移開了視線。

受命先去取水過來的士兵撿起了水桶後就馬上上路。

「反正等水取回來還有一段時間，那我現在……先幫妳固定腳踝好嗎？」

「每回都麻煩您了。」長今只能這麼說。

政浩默默的起身，撥開小徑旁的草叢往前走，迅速消失在樹林中。長今一面等著他回來，一面環顧四方，現在才終於有心情看清周圍的景致，寬廣開闊的山坡下，一望無際與天邊相連的高粱秋收已畢，只剩下一支支的高粱梗迎風搖曳。

再度折回的政浩手上已多了幾根大小正合適做夾板的樹枝。

「暫時會有點痛。」

雖然說的是事實，但他眼裏卻充滿了歉意，長今回望他的眼睛，慢慢點了點頭。於是政浩兩手緊緊的抓穩長今的腳踝，眨眼之間用力壓下去，扭曲的腳踝骨終於又回到原來的位置，而長今則忍不住爆出哀嚎，實在比想像中要痛得太多了。當然歪了的骨頭想要再回復到原來位置，不管用何種方式矯正，一定都是會痛的。

快速的關切長今一眼，政浩馬上爲她的腳踝安上夾板，再從自己衣服內襟撕下一塊布，緊緊纏繞住上了夾板的腳踝，那眞摯的表情，彷彿世上再也沒有事情比這更令他關心一般。

長今突然對他肅然起敬，用另一種不同的眼光重新審視政浩。在保衛王上安危的內禁衛軍官頭銜下，他還擁有傲人的端正容貌。保衛王上安危的內禁衛軍官……長今忍不住將父親生前的模樣重疊在政浩的臉上，霎時怦然心跳。

「好了。」

觸及政浩抬起頭來的眼光，長今悄悄的移開視線。深藍色的天空中央，飛過排列成鐮刀狀的候鳥。

幸好去提水的士兵於此時回來，化解了兩人之間已有些尷尬的沉默。政浩讓士兵提著水桶走在前，請長今上馬，自己則牽韁繩同行。因爲每一滴水都彌足珍貴，捨不得潑濺出來的關係，也不敢策馬奔馳回去。

在快到達目的地之前，遠遠就先看到擔心得在那裏走來走去的今英。

「怎麼這麼晚才回來？」

今英跑過來原本是打算要破口大罵的，乍見幾乎是用抱的把長今從馬上扶下來的政浩，渾身一震，腳步嘎然而止。

「到底是怎麼回事？」

「要把山泉水提回來的時候腳踝扭到了，正好從事官大人在附近，就幫了我的忙。」

快速交代以後，長今立刻盡可能快步的朝廚帳的方向走去，這麼一來歪跛的腳步就顯得更加不穩了，隨即發現自己忘了道謝，但回過頭來，卻看到今英與政浩兩人面對面聊得很熱絡的樣子。雖然那兩個人彼此好像熟識的事讓長今訝異，但因爲馬上就要趕製冷麵肉湯，現在也管不了那麼多了。

「從事官大人，眞是好久不見。」

那略帶嬌羞的語氣跟平常的今英完全不同，看起來原本來打算等長今回來好好臭罵她一頓的今英，已經完全忘了還要做冷麵肉湯的事，只想捉住和政浩碰面的機會。

「崔判述大房身體安康吧？」

「是的，聽說父親在三浦倭亂中建功，已經晉升爲內禁衛特別從事官了。」

「她的腳踝雖然做了臨時處置，但只是一時之計，等忙的事情告一段落，還是把醫女找來看看。走路的時候可能會很不方便，無論如何，還請崔內人多多照顧。」

「知道了。」

今英隨即換上一副嫌惡的臉孔，緊緊的閉上嘴巴，但政浩顯然並沒有注意到這微妙的變化，莊重的點了個頭後便轉身離去。看著他的背影逐漸遠去，轉身走回廚帳的今英臉上盡現淒涼。

接手的長今忙著調製冷麵肉湯，在今英熬煮好的肉湯裏加了一點水後，嘗嘗味道，然後側頭想了想。

「給我梨汁。」

今英照著長今的要求把梨汁找出來遞過去，但脾氣卻一下子全爆發出來。不只是因爲剛剛長今沒頭沒腦的就跑出去，讓她一個人漫無頭緒的等待，最主要還是長今在政浩的攙扶從馬上下來的場面不斷在她腦中重現，讓她的憤怒一下子升到最高點。

「妳回來前尚膳公公來過了，大罵我們為什麼不先把事情經過稟告上去，反而自作主張，說要是王上或宗族大人們有個什麼閃失，絕不輕饒。」

「給我醋好嗎？」

「事情如果出了什麼錯，不只是妳和我，連韓尚宮也免不了要遭受責罰，會大大的連累到相信我們、把事情交託給我們的韓尚宮嬤嬤啊！」

今英一股腦兒的發洩自己的憤怒，但長今卻只顧著放點醋、灑點糖再加點鹽，混合好調味料，再拿起大型湯杓攪拌，然後自己先嘗嘗味道。

「妳有把握吧？」今英終於停止發洩地關切道。

長今據實以答：「這是我第一次做冷麵肉湯，我自己也沒把握，只是照著腦子裏的感覺去做而已。」

「妳說什麼？」今英大驚。

但別監公公走進來，已經沒有時間了。

「王上傳旨呈上冷麵。」

被這個聲音嚇了一跳的長今和今英面面相覷，知道無論如何現在也只能硬著頭皮呈上去了。

兩人彷以眼光交換無聲的決心，接著就開始行動。照著不久前混合好的比例調味，長今著手調製大量的肉湯，今英則負責將放了麵和冰塊的碗一個個拿過來。一旦將肉湯加進碗裏後，兩個人的工作就算告一段落了。

草原中央的大桌上，堆滿了捕獲的獵物，前面有頭串在烤肉架上，露出骨頭的烤山豬，飽食過烤山豬肉的中宗及其下宗親世族大臣的臉上都洋溢著滿足的表情。依照慣例，在狩獵場裏供王上享用的餐桌上，通常會呈上以捕獲的獸肉做爲主要食材的肉片火鍋，但今天狩獵餐桌上的肉片火鍋卻以冷麵湯碗取代。

終於王上用筷子夾起麵條來放進嘴裏咀嚼，全神貫注在王上一舉一動的長值內侍眼光犀利如刀，就連站在遠遠的今英和長今也覺得血液彷彿逆流似的，而距離更遠，看著這兩個人的政浩，臉上也流露出緊張的神情。

「這味道是怎麼調製出來的啊？」

王上對著長值內侍提出詢問，但他因爲無法掌握王上眞正的意思而猶豫不決，不曉得該如何回答，此時王上已經又夾了一口麵吃，並露出滿意的笑容。

「是從不曾在宮裏吃過的美味啊！」

「殿下，小臣嘗後也有同樣的感覺！」擅於察言觀色的吳兼護馬上附和道。

「不過蘿蔔泡菜的漬汁雖然清爽，應該還不至散發出像這樣子的味道啊！可是這湯卻無比清新爽口，狩獵完後來一碗，可說恰到好處。」

直到看到長值內侍的臉上堆滿笑容，今英與長今才鬆了口大氣。遠遠的政浩傳來注目禮，長今也回視點頭致意，而察覺到兩人之間微妙的交流，今英臉上的笑容霎時消失無蹤。

「從來沒有做過的冷麵肉湯，怎麼會想到要加入山泉水啊？」

韓尙宮臉上始終帶著欣慰的笑容，幾乎看不出之前才全身痲痺過。這時她們才剛收拾完狩獵餐桌。

「嬤嬤您還記得從前曾經教我學習分辨用在飲食裏頭各種水的味道嗎？那時我曾經嘗過許多種水味。」

「是有那麼回事。」

「腦海裏突然浮現起您說過邵堂里梅月堂的山泉水最適合用來醃漬冬漬蘿蔔，隨即想到在來此的路上曾看見一池山泉水，或許那池水的味道類似也說不定，當然也有可能只是很普通的山泉水，與邵堂里梅月堂的山泉水味道相去十萬八千里。結果圓滿，眞是感謝老天爺幫忙。」

韓尚宮表示讚賞的大力點頭，眼光轉向今英。

「好，不管是從來沒有拉過麵條的今英，還是不顧路途遙遠與艱辛取回泉水的長今，妳們兩人眞的都辛苦了。如果不是妳們，今天的危機就無法順利化解了，特別是獨自一人留守，即使慌張也能鎮定處理的今英功勞最大。」

平素甚少好言相向的韓尚宮從來沒有像今天這樣毫不吝嗇地稱讚她們。

日落之後，狩獵場上開始搭起野營帳篷，政浩穿梭在帳篷之間，再三叮嚀士兵。

「今晚王上的安危就繫在你們手上，即使不小心的打個盹也絕對不行。知道了嗎？」

政浩近乎嚴厲的交代一個個士兵，看起來眞是威風凜凜。

最後一個帳篷也確實交代好以後，政浩便朝臨時搭建的廚帳走去，才剛覺得秋夜的氣氛蕭瑟，就看到被風吹得鼓脹的帳篷，然而在這臨時廚房裏卻不見剛經歷過的一場混亂，整理得井井有條。

彷佛聽到什麼了聲響，全身隨即緊繃，但往發出聲音的地方一瞧，才發現原來是長今趴在帳篷前乾淨的地上，不知道在記些什麼。儘管是明月高掛天空，但想藉著月光寫字，那本隨身手冊看起來實在是太小了。

政浩怕會嚇到長今，便先發出一、兩聲假咳。

「腳扭傷的人這麼晚了還在寫什麼啊？」

長今趕緊改變坐姿，順便整理好衣服。圍裙外罩著翠綠色的披風，兩條麻花辮繫上了紅絲帶，眞可謂搭配合宜。

「因爲怕忘記，所以每天都會記下當天料理的食材和烹飪方式。」

「和妳的手冊比起來，那支毛筆好像太大了。」

說完那句話，政浩就伸手進袖子裏，可是好像沒法馬上找到想找的東西，摸索了好一陣子，才帶著恍然大悟的惋惜口吻說：

「啊！剛才換衣服的時候擱在一旁就出來了，是剛好適用於妳那本手冊大小的小毛筆……」

本來還想提那支毛筆的筆桿上繫著三色流蘇垂飾，但不明就裏的長今已深爲政浩這一片心意感動。

「不用了，您光這樣說我就已經很感激了。」

「我都還沒給妳，妳在感激什麼？」政浩笑了。「下次我一定要記得拿來送妳。」

長今對這番心意不知道該回答些什麼，政浩好像也不知道該繼續說些什麼，兩個人只好帶著靦腆的微笑，把視線轉向夜空，只見漆黑的天空裏，一枚圓月當頭照。

「長今，長今！」

今英呼喚長今的聲音漸漸接近，長今和政浩都不知該如何是好的呆在原地。結果被今英撞見的這兩個人之間明明就沒有什麼，臉上卻都掛著好像做了什麼壞事般的表情，今英自己則裝出好像什麼都不知情的模樣。

「妳不用出來找，她也正準備要進去了。」

政浩對著今英公事公辦的說完，轉身又看著長今，那是與面對今英時完全不同的眼神。

「明天還有好遠的路要走，早點進去休息吧。」

長今點點頭，政浩也毫不遲疑的馬上轉身離去。今英的雙眸跟著他的身影，眼裏充滿了不捨，等到他的背影在視線中消失，便再也難掩火氣的說：「你們兩個人那樣單獨在一起，若被別人看到怎麼辦？還好我早知道他個性正直耿介，才沒有誤會。」

「對了，我不知道原來今英姊和大人也很熟悉。」

「他常到我伯父的寺院去借閱明朝的書籍或物品，很早就認識了。不過看來妳也不是今天才第一次見到大人的嘛。」

「嗯，事實上是以前在茶栽軒時的主簿大人拜託我送封信到校書閣去時，第一次見到從事官大人的。」

「那樣啊，不過以後還是小心點的好。」

長今雖然有點顧忌的模樣，但最後還是沒太放在心上的走開了。對她而言，根本無法把眼前的事和在八年前那個無法成眠的夜裏，看見今英不知在向誰行大禮告別的畫面聯想在一起。

回宮之後，長今聽到一個並不意外的消息，爲了追究狩獵場上的失誤，調方被調離退膳間，由長今遞補。一想到這下終於可以放心尋找母親的飲食手記，長今的心臟便如擂鼓般激動起來。

心緒紊亂到連腳踝的疼痛都忘掉，急急忙忙就往退膳間跑去，正好遇見迎面而來的政浩，長今僅微微點頭不出聲，並以淡淡的注目禮取代招呼。

「看到妳這樣奔跑，我就放心了。」

「啊？」長今不解。

「妳的腳踝。」政浩進一步說明：「看起來現在已經全好了的樣子。」

「啊，嗯……還沒……不，全好了……」

不知該如何回答的長今雙頰通紅，政浩的嘴角則彎出一抹更添俊逸的笑容。

「嗯，大人，上次您借我的書，我已經全部抄寫完了。」總算想出一個話題來。

「我記得分量還蠻多的，妳那麼快就全部抄寫好了，眞令人驚訝。」

「要怎麼樣拿來還給您呢？」

政浩沉吟了一下後說：「因爲訓練的關係，這幾天我會不在。不然十五日那天申時時分，我們在上次那個池塘邊碰面吧。」

「好，那請您多保重。」

長今鄭重的行禮之後，再度朝原本的方向快步離去，剛開始腳步還微跛，後來不知道是恢復精神還是怎麼的，看她整個人都輕盈順暢起來。

政浩看著她那模樣，臉上不禁漾滿了微笑，這個看似柔弱實則剛強，看似穩重實則率直，看似冷傲實則熱心的女人，如果不是宮女的話，眞想與她攜手共度一生，一想到這裏，政浩的臉色又立時黯淡下來。

同一時間，不同地方，今英心中充滿了抗拒與憤怒，一臉沮喪。

「我不要。」

「妳說什麼？」

「就算不做那種事情，我也具備將來成爲水刺間主事者的天分與能力。當然家族在背後支持是最重要的，再加上我有天分，肯努力，還有什麼是做不到的呢？」

「妳是說天分加上努力嗎？」

「是的，所以您又何必叫我去做那種事呢？」

「妳在害怕？」崔尙宮問道。

「不是害怕，是您要我這樣做，傷害了我的自尊心。」

「妳說自尊心？」

崔尙宮發出令人不快的冷笑。

「說妳不懂事，妳還眞的好像什麼都不懂。是啊！我們家族裏歷代尙宮嬤嬤都擁有成爲最高尙宮的能力，然而，能力是能力，妳以爲這個世界上只要有能力就能夠毫無滯礙，不靠任何條件的爬到最高的位置嗎？」

「我相信只要盡全力，就沒有達不到的目標。」

「還不給我住嘴！在這宮裏，妳說有哪個人不努力？妳以爲其他尙宮都是無所事事只知道玩樂，所以我們家歷代才能輕易受任成爲最高尙宮嗎？妳要知道天分與努力只是最基本的條件而已啊！」

如果說天分與努力只是最基本的條件，那麼除了那兩點之外，到底還需要具備什麼呢？今英嘗到有生以來第一次苦澀又屈辱的滋味。

「支配這個世界的不是天分與努力，而是權力，而且再沒有一個地方像王宮這裏一樣徹底遵守及實行著由權力支配一切的法則，因爲王宮裏通常只有掌權勢力才得以存在。我們家每次都會觀察看誰會成爲掌權者，然後向之靠攏，才能生存至今。那才是我們家門可以爬上今天這個地位的眞正原因。」

今英發出痛苦的呻吟，過去對於家世背景和本身天分所懷抱的自滿，卻在崔尚宮殘酷的話裏證明一切都只不過是個假象而已。

「光憑這個位置或許無法確保世家地位，卻還是可以擁有比一般世家更多的財富，也就是說如果無法永保權力的話，至少也要鞏固財源！然後再用那筆錢買到權力，妳懂了吧？」

「如果眞的有必要那麼做，那買通別人去做好了，爲什麼一定要我親自去做呢？」

「那是從歷代尙宮嬤嬤流傳下來的家訓，我們家族裏的女人，不管是誰，一旦成爲內人，就一定得做件此類的大事。」

那樣的話，的確是件不得了的大事，今英也不得不承認，想拒絕這件事情就像想改名換姓不再姓崔一樣毫無可能。幾乎承受不起的沉重心情，讓今英把嘴唇緊咬到慢慢滲出了血跡。

「我也是在通過內人儀式後做了這樣的事情，甚至因爲那件事……一位朋友還因而受死。難道我的心裏就好受了嗎？然而唯有懂得害怕才會變得堅強。溫室裏養大的小花要如何擁有強韌的生命力？在這受弱肉強食法則支配的王宮裏，只有變得堅強才能生存下去。」

要拒絕還是接受，看來已別無選擇，雖然就算拒絕，家中長輩應該也不會殺了她，但重點是在於僅憑天分和努力，好像眞的無法爬到最高尚宮的位置，今英是認定自己非成爲最高尚宮不可的，也就是說現在今英心中只剩下權力欲望與自尊心之間互不相讓的拉扯而已。

自尊心到底是什麼呢？今英頓感迷惘，而腦中不知爲何，此時竟浮現起長今的面孔。

「妳是個聰明的孩子，我想妳應該瞭解我的話中之意。來，把這張符咒藏到退膳間裏去吧。」

那是將王后娘娘腹中的胎兒由王子變成公主的符咒。

吳兼護最近謀畫著要把自己的姪女送進後宮爲妃，當然最終目的是要讓姪女登上王后娘娘的寶座，如果王后娘娘在此時生下王子的話，那他所懷抱的野心便會化爲泡影，於是和崔判述共謀，下定決心無論如何都要想盡辦法阻止王后產下王子。今英轉過頭去故意不看崔尙宮遞過來的符咒，但在不夠快而瞥見那張符咒一角的瞬間，又有一把接過來算了的念頭，可是在意識到自己有那種念頭的同時，心裏又不禁湧現對自己的憎惡感。

「我沒有辦法那樣做！」

「今英啊！」崔尙宮想要苦勸。

但今英已經不想再聽，「不要！」

她猛然起身就跑了出去，混亂中緊跟著起身的崔尙宮知道不能窮追，只能頹然坐回自己的位置。

「她一定會回來的，非回來不可，就像我當初一樣……」

崔尙宮低頭看抓在自己手裏的符咒，嘴裏就好像發燒而神智不清的人一般，不斷喃喃自語著。

第九章　陰謀

從那天起，今英便把自己關在處所中不肯出來，看起來明明好好的，卻自稱身體不舒服，一動也不肯動。誰開口跟她說話，她就大發脾氣，不但當場要人滾出房間，還破口大罵，同房的令路爲此可說是苦不堪言。

長今也不知道在忙些什麼，讓連生一個人覺得無聊透了。這段期間長今爲了找母親的飲食手記，幾乎翻遍了整個退膳間。但對不知內情的連生來說，爲什麼長今每晚一定外出到天亮才回來，已經讓她好奇到睡不著覺的地步，因此有晚她下定決心，就偷偷的跟在長今後面出去。

上旬的夜裏一片漆黑，連生沒跟多久就在黑暗中失去了長今的身影。看看眼前的小徑好像是通往退膳間的方向，連生開始小跑步起來，一想到黑夜裏只有自己一個人就覺得非常害怕，幾乎已經忘了當初出來的目的，只想快點找到長今一起回房。

退膳間裏雖燈火全熄，不過還是想看看長今是否進到了那裏去，遂輕悄又緩慢的推開門扉偷瞧。狹小的門縫裏隱約看到有人影晃動，腳下踩著火爐，戰戰兢兢爬上去站在橫梁木前的身影分明穿著內人的服飾，但從連生這個位置只能看到微微傾斜的側影，根本無法看清是什麼人，只不過個子比長今高大。

人影在橫梁木前晃動了好一陣子，不知是否找到了合適的地方，即從袖子裏掏出個東西往裏面塞。連生正想把門再推開一些看個仔細時，那個人影已經從火爐上下來了，嚇得她趕快後退，藏身在對面的樟樹下。

令人驚訝的是從退膳間出來的人影竟然是今英，朝左右觀望後，正要舉步離去時，卻不小心踩到自己的裙襬，好不容易站穩沒跌倒的今英看起來有點魂不守舍，慌亂緊張的模樣看得旁人也覺得心驚膽顫。

就在今英的身影消失，連生正想從樹下走出來的瞬間，長今出現了。

「長今……」

怕被其他人聽見，連生自然而然壓低了聲音，結果長今當然是不太可能聽到，只是往四面八方看了一眼，就悄悄的溜進了退膳間。不管怎樣，眞的是很奇怪，從長今每天踏著夜露回房這事便透露著奇怪。到底有什麼不能啓齒的事情，連自己都要瞞著？

爲了找長今出來，卻看見今英怪異的行爲，聲稱臥病多日的人深夜裏跑出來偷偷摸摸東躲西藏的，到底是爲了什麼？連生立即打消叫長今一起回房的念頭，想看看事情到底還會有什麼樣的發展。

長今不知道在退膳間裏找什麼，從她略過顯眼的地方，儘找櫥櫃後面和牆縫之處的樣子來看，應該不是體積很大的東西，難道長今在找的就是今英藏在橫梁木上的東西嗎？

「一個藏，一個找？」

在上旬夜裏驟然把兩件事聯想在一起，實在令人傷透腦筋，摸不著頭緒。

翻找了好長一段時間的長今終於停下來並嘆了口氣，頹然的坐倒在地，滿臉表情失落到讓人不敢開口跟她說話的地步。

夜風蕭颯，睡意一下子湧了上來，連生終於決定放棄，照來時那樣悄悄的離開，感覺上就像把長今一個人棄置在又冰冷又孤寂的退膳間似的。

隔天早上連生眼睛一睜開便伸手摸向旁邊的位置，結果被褥是冷的，一直到去盥洗室才算看到了長今。也不知道是爲什麼，連生只是看著她，並不想跟她說話，長今更是默默的洗著臉，不發一語，到最後忍不住先開口的人，依舊是連生。

「妳……昨晚都看到了嗎？」

長今露出被連生的話嚇了一跳的樣子，但仍沒有開口的意思。

「妳眞的什麼都不說？」

連這麼大聲的問話，長今也只是抬頭淡淡的看了她一眼而已，用冷水洗過的臉頰看起來就像小孩一般潔淨白皙。

「妳們兩個人，到底深夜在退膳間裏做什麼啊？」

「兩個人？什麼兩個人？」長今不解。

「對啊，就是妳和今英姊啊。」

「妳說在退膳間看到今英姊？什麼時候的事？」

「就在妳像個小偷一樣偷偷溜進去之前沒多久，她才從退膳間出來啊，妳們兩個人在那裏玩什麼捉迷藏啊？」

長今愣了一下，突然連個招呼都不打就跑出去了，心裏產生疑惑的人反而變成了連生，於是她跟著長今也跑進了水刺間，想要向她一吐心中的鬱悶。

「喂，妳眞的要一直這個樣子嗎？一句話都不告訴我？」

長今保持著似生氣似不在意的奇怪表情，還是不發一語。

「昨晚妳明明就在退膳間裏不知道找什麼，如果你是在找今英姊藏起來的東西，那我可以告訴妳在哪裏……」

長今打斷連生問道：「妳說今英姊藏了東西？」

「沒錯，我看得清清楚楚。」

「她大概有什麼原因才會那麼做吧。」

看到長今又擺出事不關己的模樣，連生的火氣全被激了出來，開始四下張望尋找可以墊腳的東西。一看到昨晚今英拿來踩的火爐，就搬過來一腳踩上去，雖勉強可以搆到橫梁木，卻不管怎麼摸索都摸不到任何東西，但連生不肯死心放棄，試了三、四次後，終於在稍微裂開的縫隙裏摸到一點點像是紙張的東西，正要使力往外扯時，火爐卻歪向一邊，連生腳下踩空，屁股著地摔了下來，接著有個東西又咚一聲的掉在她額頭上，長今一眼就看出那正是她苦尋多時的飲食手記。

搶先一步跑上前去撿起來，才掀開第一頁，映入眼簾的便是熟悉的筆跡，蠅頭小字整齊的排列著。

非人去配合飲食，而是飲食來配合人。

藥食同源，食即是藥。

彷彿自我惕勵一般，母親的飲食手記是這麼開始的，長今看了嘴唇顫抖，熱淚盈眶，激情難抑，只好邊哭邊飛奔而出。

「長今！長今！」

任憑連生大聲呼喊，長今始終沒有停止腳步。

「她到底怎麼了？」

十多年來情同手足般一起長大，第一次看到長今像現在這樣激動落淚，到底是爲了什麼？實在費人猜疑，然而她們都沒料到橫梁木上裂開的縫隙裏，還暴露出一塊血紅長舌般的布。連生做夢也沒想到自己在扯動飲食手記的同時，無意中竟連同今英包裹符咒塞進縫隙裏的布塊也跟著扯了出來。

最早發現那樣東西的人是韓尙宮，那是在去退膳間炕房查看保管在該處的料理時，無意中抬頭看到橫梁木上扯露出來的紅色布塊，結果拿下來打開一看，直覺包在裏頭的符咒內容非同小可，立刻毫不遲疑的送去給最高尙宮。而最高尙宮在下令盡快查明符咒內容之後，便將韓尙宮與崔尙宮一起叫進她的房間。

最高尙宮雖然默默的處理，卻很快便掌握了整件事情的經緯。推算時間，一下子就查出前一晚在退膳間值晚班的人是今英。對此崔尙宮馬上站出來爲今英說話。

「如果這張符咒眞的是今英藏的話，她怎麼會挑在自己值晚班的日子藏呢？只要稍有常識的人，爲了避嫌，就一定會挑別的日子啊！這一定是其他嫉妒今英的內人做的。」

聽起來好像很有道理，但最高尙宮卻對崔尙宮激烈的反應感到訝異。

「崔尙宮爲何如此驚慌呢？雖然不知道這張符咒的內容爲何，但從崔尙宮的表情來看，好像不是用在好的地方。」

「不，不是那個意……意思。不管用在好的地方或壞的地方，我只是要說今英是絕不可能去下符咒的。」

崔尙宮像是咬到舌頭似的慌忙後退一步，但已收斂起緊張的表情，隱藏住內心的想法，進一步說：

「那個暫且不管，倒是聽說最近長今每晚都出入退膳間，那把長今叫來問個清楚，您覺得如何？」

「聽起來，崔尙宮的話好像有些前後矛盾。」一直安靜坐在一旁的韓尙宮驀然緊鎖眉頭開口插話。

「那是什麼意思？」

「您不是說不管是用在好的或壞的地方，今英都不可能會用符咒嗎？我是要跟您說，如果憑那就可以證明今英無辜的話，換到長今身上也是同理可證的。」

「您的意思是說，或許今英就另有使用符咒的理由了嗎？」

「我可沒有那樣說，只是說長今並沒有理由使用符咒之類的東西。那孩子是我看著長大的，雖然有時候會出點小差錯，卻絕不會貪圖自己分外之物，就算立意爲佳，也絕對不是個會想要藉助符咒之類的物品，來達成自己能力範圍之外事情的孩子。」

韓尙宮的語氣十分堅定，就連善辯的崔尙宮也被這股氣勢壓倒，只能顫抖著嘴唇卻說不出話來，不過仍用如刀般銳利的眼神瞪住韓尙宮。韓尙宮也不想讓步，毫不畏縮的迎視她的目光。

也不知是否感受到了兩人之間明爭暗鬥的氣氛，最高尙宮連忙出來打圓場。

「請韓尙宮去把長今叫來吧。」

被叫來的長今，出乎韓尙宮的意料之外的一臉緊繃。崔尙宮遞出內包符咒的綢布，沒頭沒腦的一開口就詰問：

「這是什麼東西？」

「我不知道。」

「妳把它藏起來，現在又想推說不知道嗎？」

「我眞的是第一次看到這樣東西。」

「妳這無禮的孩子！」

「崔尙宮妳安靜的坐在一旁就好，要追究的話，也應該由我來問才對。」

最高尚宮制止崔尚宮，轉而注視著長今。

「聽說妳最近每晚都溜進退膳間，不知道在做些什麼，有這回事嗎？」

「……有。」

「昨晚也去了嗎？」

長今這次也只回答了一個「是」字，後面就什麼也沒說了。韓尚宮的臉上瞬間布滿驚慌，崔尚宮則是一副「妳看吧！」的樣子打直脊梁。

最高尚宮環視了周圍的人一眼，低聲問道：「夜深人靜，妳到退膳間去有什麼事呢？」

長今沒有回答，不，是無法回答。如果說出實情，連帶就會讓大家知道自己的母親是誰。母親在成爲自己的母親之前，據長今所知，就是水剌間的一名內人，後來因遭人陷害而被驅逐出宮去。

只要一想到陷害母親的那群人現在或許仍在王宮的某處橫行霸道也說不定，長今就覺得渾身不安。沒錯，一定是這樣，越是能夠冷血陷害無辜的人，生命力就越強，若被他們發現自己的身分，一定會像當年除掉母親一樣的急於把自己趕出去。如果眞是如此，那現在就更不是適當的說明時機。得先培養好自己的實力，在擁有足以洗刷母親冤屈的力量之前，絕不能退縮，務必要堅持下去。

「妳打算像這樣一直都不開口嗎？」

現在連最高尚宮的聲音裏也帶著怒氣了，一直在旁沉默不語的韓尚宮忍不住開始勸說：

「長今啊，快向最高尚宮嬤嬤稟明事實的眞相，快啊！」

「大概是有什麼難言之隱吧。」

「崔尚宮請妳注意言詞，不要做些沒有證據的揣測。」

「什麼叫沒有證據？那孩子現在的舉動不就是證據了嗎？」

「請兩位尚宮謹守體統！」

最高尚宮怒氣騰騰的聲音讓整個氣氛更加緊張，兩位尚宮都一臉不滿的抿緊了唇，長今無法承受韓尚宮的眼神，只好悄悄的低下頭。

「因爲沒有證據，所以無法當場給予任何懲罰，但若有什麼說不出口的隱情，這事也不能就此作罷。把這孩子關到倉庫去，在吐實之前一滴水都不要給她喝！」

「嬤嬤，請您給我一點時間，我會好好開導她的。」

韓尚宮還想試著改變最高尚宮的心意，但崔尚宮卻已經過去拖起長今。韓尚宮來回看著就快被拖走的長今和轉身回座的最高尚宮，一時也無計可施，又兼顧不到，不知該如何是好。最後長今還是毫無抗拒的被拖走了，房裏只剩下令人窒息的沉默。

即使被關在黑漆漆的倉庫，一滴水也喝不到，長今還是什麼話都不說。時間越拖越久，韓尙宮有韓尙宮的擔憂，今英也有今英的不安。

這段期間去查探符咒內容的內人帶回了驚天動地的消息，而一聽完內容，表現得最義憤塡膺的人，便是崔尙宮。

「成爲內人才沒多久，竟然就做出這種傷天害理的事情！那種孩子就這樣放著不管的話，總有一天會成爲宮中禍害。」

韓尙宮聞言卻反而鎭定下來，長今或許有難言之隱，或許也眞的做了些什麼，但如果符咒的內容眞如她們所言，就絕對不是長今會做的事。什麼將王后腹中的王子轉變成公主的符咒！不管王后會生下太子還是產下公主，都和長今一點關係也沒有，她說不定連女人懷孕生子的原理都不懂呢。那就是長今清白的證據，不，應該說是韓尙宮對長今深信不疑的理由所在。

「幸好知道事情眞相的只有我們幾個，如果您悄然處置的話，大概就不會引起什麼大騷動了。」

「什麼叫做悄然處置？」最高尙宮反問崔尙宮。

「不能大肆宣揚，您好像又不想暗中處理掉，那麼難道說您打算就這麼算了嗎？或許宮裏向來有些任意妄爲的事情在發生，但那通常也僅限於後宮才有。現在說什麼退膳間裏有符咒，眞教人氣得說不出話來。」

「既然說不出話來，那妳就少說點吧。」最高尚宮冷冷的說。

最高尚宮語帶諷刺，終於讓崔尚宮閉上了嘴，卻又擔心她會和韓尚宮同一個想法而不得不再開口。

「首先，也是最重要的，難道不是讓長今開口吐實嗎？如果眞是那孩子藏了符咒，背後一定有人指使，她不可能自己會畫這種符咒，搞不好是宮外有人偷偷傳遞進來的也說不定。」

見最高尚沒有反應，崔尚宮更加肆無忌憚的往下說：「在這過程中，如果有什麼風聲洩漏出去的話，水刺間全體定會又起一陣騷動。所以您只要悄悄除去長今……」

「要是公正處理會造成騷動的話，那也是沒有辦法的事。比起偷偷摸摸的隱密處理，騷動或許還比較好，妳難道不覺得如此嗎？」

最高尚宮如此反駁之後便盯著崔尚宮看，像是想要看清楚她心裏到底在算計什麼，崔尚宮趕緊呑下到口的話，並避開了視線。

過了五天了，焦躁不安的人不只韓尚宮一人。連生也東跑西跑，到處尋找五天前被最高尚宮叫去後就行蹤不明的長今，實在無計可施時，只好跑去找最高尚宮，豈料連最高尚宮都說不知道，接著便顧左右而言他，不禁讓人覺得更加奇怪。轉而詢問韓尚宮，韓尚宮也只是不知所措的回答說，長今出宮去替最高尚宮辦點事情了。尤有甚者，今英也再度將自己關在房間裏，連門都不出一步。

連生直覺有事發生，因此只要一得空就四處尋找長今，王宮的這裏、那裏，找遍了所有能找的地方，算算日子已經是第五天了，然而這卻像是件無頭案，如果是有人把長今捉去關了起來的話，那要找她簡直就像是大海撈針。王宮那麼寬廣，內人的腳步到不了的隱密處所也太多了，最後沒有辦法只好偷偷跟在韓尚宮的身後，她的意圖韓尚宮當然也沒有不知道的道理。

長今在黑暗中睜開了眼睛，其實不管睜眼閉眼，都是一片黑暗，似乎也沒什麼不同。這裏連一線陽光都射不進來，到底已經過了幾個黑夜、幾個白天也無從計算。

頭兩天長今的腦裏一片混亂，剛從連生那裏聽到那件事時，原本不以爲意，也就沒放在心上，但現在回想起來，卻由不得人不起疑。照連生的話說，今英不知道藏了什麼東西，那是什麼呢？是不是就是崔尚宮一再要自己交出來的東西？這點還不是最重要的，問題是爲什麼今英卻在這時沉默不語。

「今天的事……是祕密噢，知道嗎？」想起第一次見面那晚兩人在宣政殿分手時今英說的話。到底爲了什麼，如今的她竟然變得這麼陌生？當年那個爲了向自己愛慕的人告別，不怕危險勇往直前的十二歲少女已不復見，這才是長今感到最悲哀的地方。

說不想把從連生那兒聽到的事情說出來是騙人的，但說出來又有什麼用呢？畢竟就算眞是如此，也無法掩飾自己的確到過退膳間的事實……

因此只能保持沉默，雖然沉默無法解決任何問題，但至少可以阻止事態更加惡化下去。

神智變得越來越不清楚，反而是父親和母親的臉孔在腦中越來越清晰。對父母的孺慕之情減輕了不少肉體上的虛弱。想到自己身爲女兒多年來無法拜祭父母，累得父母如無主孤魂般四處遊蕩，幾乎就要無法忍受那份椎心之痛。

昏昏沉沉之間，不時夢見住在白丁村時的情景。童年住在白丁村時，不管是翻開記憶裏的哪一頁，都沒有不幸福的時刻，就好像老天爺賞賜一生可以享受到的幸福都在那時全部用完了似的，或許所謂的幸福已經不會再來。父親那溫暖又強壯的背，母親那嚴厲又慈愛的手，長今在分不清是幻是眞的黑暗裏，再次感受到他們的撫慰。

突然白花花的陽光流洩進來，刺眼的白光中浮現一個影像，那就是傳聞中的勾魂使者嗎？腦中才浮現這個念頭，韓尚宮熟悉的聲音便傳入耳裏。

「長今啊！」

突然之間，思念如潮湧，熱淚盈滿眶，就像母親生前的呼喚一般慈愛。韓尚宮靜靜關上倉庫的門後，來到長今身旁坐下，摸摸額頭，拍拍臉頰，心裏更覺不安。

「我知道絕對不是妳把符咒藏在那裏的，但就算如此，如果妳不說明到退膳間去的理由，就沒法被放出來。好歹妳也說句話吧！」

長今不語，只是淚流滿面。

「說不出口到底是爲什麼呢？」

屢勸不聽，韓尚宮一急之下火氣也上來了。

「無論如何，因爲妳，我好像也越活越辛苦。從一開始就是這樣，從妳分配到我手下學習以後，幾乎沒有一天得以安心。都是因爲有感情的關係啊！無情到底的話，也就不會有這種椎心之痛……」

「嬤嬤！」

「是啊，妳就快說吧。妳還有什麼不能對我說的話嗎？就算妳是仇人之女，我也一定會支持到底。」

聽完這番話，長今心裏最後一絲猶豫也不見了，如果是韓尚宮的話，就算講出母親的事情應該也沒有關係吧，韓尚宮不也有一位像母親一樣遭人陷害被趕出宮去的摯友嗎？

「事實上……」

正要開口的瞬間，倉庫門被打開，最高尚宮走進來撞見了一切，韓尚宮驚慌的連忙起身。

「我不是下令除了我以外，任何人都不准進來嗎？妳在做什麼？這不像妳韓尚宮會做的事情啊！」

「請您原諒。」

「還不快出去！」

全無轉圜餘地，韓尚宮也只好帶著惋惜的表情，深深看了長今一眼，然後拖著沉重的步伐離開。

這時的心情就好像棄子女於不顧，逕自離去的母親一般，從這點來看，可見韓尚宮已經把長今當成自己的孩子了。難道非得內心懷抱對某個男人的情愛，然後兩人結合產下的骨肉結晶才叫做子女嗎？送走明伊轉眼已過十年，十年來首次付出感情，而且也朝夕相處了八年，雖然從沒坦率表達對那孩子的感情，但自己確實已經把一般世間女子對丈夫與子女的感情合併去愛她、珍惜她、教她。然而眼前的情勢卻再度殘酷指出，所謂情愛對於一個宮女來說有什麼用？只會讓人一再掉落萬丈深淵罷了。

秋陽烈烈，無風葉自落，每踏出一步，便踢動了落葉，再緩緩的落下。韓尚宮就這樣走在落葉飄零中，突然背後傳來呼喚的聲音。

「嬤嬤，嬤嬤！」

是連生！

已過了約定時分，等待的人兒為何還不見蹤影。剛到達的時候，夕陽的餘暉染紅了滿天的晚霞，此刻夜幕已然低垂。以為那沙沙作響的樹葉聲是她的聲音，遂側耳傾聽；以為風中傳來的樹葉香氣，是她身上的味道，禁不住怦然心動，然而夜漸深沉卻始終不見長今的身影。政浩茫然地看著遙遠的天空，背在身後的手指上纏著紅、黃、藍三色流蘇垂飾，恰如女人的長髮繞指。

同一個時刻，韓尚宮也微拉裙襬大步向前走，領了最高尚宮的命令，要去將今英找來。從令路那裏得到今英今晚輪值夜班的訊息，結果在退膳間值夜班室裏找到了和崔尚宮在一起的今英。韓尚宮進來，姑侄兩個人即驚慌的從位子上猛然站起，再裝著什麼都不知情的樣子，跟在韓尚宮的身後走進倉庫，但一看到垂死的長今，連今英也愣住了。

氣氛有點詭異，最高尚宮的臉上有著過去所沒有的凝重，站在旁邊的連生也滿臉的忐忑難安。

最高尚宮以下巴示意連生說：「把妳那晚所看到的經過情形，毫無遺漏的全說出來。」

「是，嬤嬤……，自從長今每天自願輪宵夜班，每晚到退膳間去，讓我覺得很奇怪。所以我就跟在她的背後出去，可是卻在退膳間附近跟丟了……想著或許是她，就往裏面瞧，結果不是長今，而是今英姊不知道在藏什麼。」

「藏什麼東西呢？」

「那時很暗，看不清楚是什麼東西，只看到她踩著火爐爬上去，在橫梁木上的縫隙裏不曉得塞進了什麼東西。」

「妳不是說也看到了長今，那又是什麼時候的事？」

「是今英姊出來以後，長今才進去的。長今沒有藏東西，而是一直不知道在找什麼東西。」

「是什麼東西呢？」

「我不知道，長今那夜好像沒有找到她想要找的東西，可是……」

連生話說到一半就停了下來，瞄一瞄長今的臉色，但長今只依舊緊咬著唇，全然不看連生。

「繼續說。」

「是。第二天早上我就纏著長今跟她說她前一天晚上她在退膳間的行動我都看到了，要她老實說到底在幹什麼，但是她卻裝著沒聽見，不但不回答，還說些別的事情。我一生氣就直接踏著火爐爬上去找，結果找到了一本小冊子。」

「小冊子？什麼樣的小冊子你看清楚了嗎？」

「長今一看到那本小冊子就馬上拿了跑出去，所以我並沒有看到裏面的內容。」

「知道了。」

最高尙宮把視線從連生身上轉向長今。

「連生發現後，妳拿走的東西到底是什麼？」

長今只如風中殘燭般顫抖著慘白的雙唇，把頭垂得更低。

「好，如果妳眞的不願開口的話，那我也只好照章處理了。接下來，我要問今英，妳把什麼東西藏在退膳間的橫梁木上啊？」

今英也是一樣無法開口，反而是身子抖個不停的崔尙宮出來替她說話。

「今英只是到退膳間去值夜班而已，那孩子和長今共用一室，這麼說大概是爲了想要表現一些朋友之愛吧。」

「我不是在問崔尙宮，」最高尙宮喝止她之後，再轉向今英，「今英，妳快回答，妳到底藏了什麼？」

即使再三催促，今英的嘴始終像蚌殼一般閉得緊緊的，所有的人都盯著今英屏息以待，只有崔尙宮緊張得不知所措，實在不瞭解這個姪女怎麼連句什麼也沒藏的話都不會說。

「再問妳一次，妳到底藏了什麼東西？」

就算最高尙宮一再的追問，今英最後還是不開口說話。

「如果妳眞的打算不說話的話，那也沒辦法了。大家先退出去，韓尙宮留下來，把今英也關在這裏，然後把門鎖上。」

「是，嬷嬷。」

韓尙宮自然的接口應道，崔尙宮卻感到錯愕。

「唉啊，嬷嬷，這是多麼不恰當的處置啊！」

最高尙宮像是覺得沒有必要回答似的，經過崔尙宮身邊走出倉庫，韓尙宮則先像趕雞一樣的把連生趕到門外去，再轉身面對崔尙宮。

「倉庫門要上鎖了，妳打算繼續留在這裏嗎？」

這眞的是韓尙宮嗎？前後態度實在相差太多了，崔尙宮咬牙切齒的回瞪，但韓尙宮頗具耐心的等到她出來以後，才慢慢的把門鎖上。

門一關上，在長今和今英之間就只剩下無邊的黑暗。長今垂死一般的躺著，今英則嫌黑暗還不夠似的，轉身背對長今坐下來，兩人的情況彷如吳越同舟。

同一時間，崔尙宮不斷的想要說服最高尙宮，然而最高尙宮的心意絲毫不受影響，對於她的懇求完全不當一回事，好不容易開口，說的卻是：「明天義禁府就會鉅細靡遺的釐清眞相，妳只需要知道這點，現在可以下去了。」

「什麼義禁府？」崔尙宮瞪大了眼睛問。

「兩個孩子都不開口，我能怎麼辦呢？只好送交義禁府去審問。」

「那只要把長今送去義禁府不就好了，爲什麼連無辜的今英也要一起去呢？」

「這就是囉，」最高尙宮順水推舟。「我剛剛不是說了嗎？今英是否無辜，義禁府自然會爲我們查明。」

「但這豈止是這兩個孩子的問題而已？爲了要查明背後眞相，我和韓尙宮理所當然會牽扯在內，就連嬤嬤您也會被連累到啊！」

「就算會那樣，也是沒有辦法的事。」

「您好像硬要把可以私下解決的事情鬧大的樣子，萬一……萬一王上有一天知道了……」

「崔尙宮這話還眞是不得了啊，不是嗎？不管是要悄悄的解決掉，或是要鬧得人盡皆知，不都該我這個最高尙宮來決定嗎？妳竟然牽扯到王上那裏去，說什麼萬一王上會如何，妳到底想做什麼？」

「不，不是這個意思……」

「我不想再聽了，還不快下去！」

崔尙宮像被人打了一巴掌似的，哭喪著臉走出勤務室。等門一關上，這期間一直靜坐不語的韓尙宮便沉重的開口：

「崔尙宮的話也不算浮誇，水刺間眞的有可能會像蜂窩被捅般變得混亂吵雜，您眞的要那麼做嗎？」

「這原本就是件無法私下了斷的事情，不是嗎？」

「對高齡的嬷嬷您來說，將會是件非常辛苦的事情啊！」

「妳擔心自己就好。」

聽到如此冷峻的回應，看來最高尙宮的心意已決，韓尙宮知道再多說也無益，只是把長今改送到義禁府後，她會不會還是不肯開口呢？這才是韓尙宮心裏最擔心的事。

漫漫長夜，關在倉庫裏的長今和今英還是不發一語，對最高尙宮、韓尙宮、崔尙宮等所有的人來說，這都是個無眠長夜，而對必須獨自入睡的連生來說，夜何嘗不變得漫長呢！另外對於一直等到夜深，仍到水刺間附近徘徊，結果依然徒勞而返的政浩來說，也是個難眠之夜，終於在夜色逐漸褪去之際，王宮廣場上緩緩的降下這年的第一場初霜。

「現在一出這個門，就是要直接把妳們交給義禁府。最後再給妳們一次機會，那夜到底在退膳間做了什麼？」

即使面對最高尙宮語帶威脅的質問，今英還是不爲所動。長今則是全身劇顫，也不知道到底有沒有聽到那句話。秋霜初降的夜晚，加上滴水未進的身體又是睡在冰冷的地上，那種痛苦眞不是三言兩語就可說盡的。

「走吧！跟著走！」

最高尙宮的聲音比起前一天夜裏降下的冰霜還要可怕與冰冷，今英跨出有些重心不穩的腳步，長今則在韓尙宮的扶持下好不容易才站起來，這個時候提調尙宮突然領著崔尚宮毫無預警的出現。

「丁尚宮跟我來。」

一聽到這話，最高尚宮的眼神立刻像箭一般射向崔尚宮，看得她立刻把眼光轉開，光這一個簡單的動作就足以讓人猜出是誰告狀，把提調尚宮找來了。

「什麼不必多說，也別引起不必要的風波，這件事情就此作罷。」

才進入自己的勤務室剛坐定位，提調尚宮馬上語帶威脅的命令最高尚宮。

「這件事將交由義禁府查明眞相。」

「妳難道忘了王后殿下來日無多的事了嗎？」

「就是因爲這樣，更不能輕易作罷。如果這次不查明眞相的話，日後同樣的事情還是會不斷的發生。」

「查明眞相有時是好，有時是壞，就這樣掩蓋過去，有時結果還會比較好，這道理難道妳不懂嗎？」

「弄清楚事件眞相是不論身分與地位高低的。」

「哦，這樣嗎？妳眞正的意思是想藉此立功，然後把我變成一個傀儡吧？妳是想把內人和尚宮全部牽扯進去，然後一個個除掉吧。」

「這不是爭功諉過的問題，而是關係到殿下安危的大事啊！」

「考慮了那麼久，現在竟然連殿下的安危都在妳考慮之內了啊？好大膽子，不過是個自以爲是的最高尙宮，竟敢如此以下犯上！」

連以下犯上的話都說出來了，最高尙宮也不得不讓步，在宮女的世界裏，若被冠上那種罪名就等於死路一條。

「事情不是這樣的……」

「不管如何，妳想我對殿下安危的用心會比妳少嗎？就是爲了殿下的安危著想，才會希望這件事就此作罷，這樣妳還不明瞭嗎？殿下自即位後，長期以來一直飽受從不間斷的叛亂與陰謀困擾，而與明朝之間，因爲對方始終以殿下是叛變登基爲由產生的嫌隙，也讓殿下幾乎沒一天過到眞正安穩的日子。現在好不容易漸漸安定下來，妳又非得在朝廷與內命婦中掀起混亂不可嗎？眞要如此才甘心嗎？」

最高尙宮把湧到嘴邊的話又給呑了回去，沉默以對是否就代表著願意聽從同意了呢？提調尙宮也按捺下怒氣，開始勸說：

「妳啊，只要在水刺間煮好飯就沒事了，我卻是得顧慮到所有殿閣的尙宮、內人，甚至與朝廷大臣的關係。妳若是眞的瞭解箇中利害關係，這件事就此作罷了吧。」

「請您告訴我您是爲了誰，又是爲了什麼必須顧慮到與朝廷大臣之間的關係呢？」

「妳說什麼？妳問我我是爲了誰？妳現在是在懷疑我嗎？」

「您怎麼會把我的話當成這種意思呢，嬤嬤？」

「妳竟敢如此的侮辱我？」

提調尙宮突然惱羞成怒，最高尙宮也閉上了嘴不再說話，但這樣的態度卻讓整個氣氛更加緊繃，還好提調尙宮尙能自我節制，果眞是隻老狐狸。

「好，就算受妳侮辱，我還是有我必須嚴守的職責。爲了把內命婦所受的傷害降至最低，我得通盤瞭解一下情況，妳就再多等一天吧。」

要求延後一天，其實大家心知肚明，都知道是她想要拖延時間以布置大局的手段，然而沒有明確的理由可予以拒絕，最高尙宮只能壓下心中的怒意告退。

之後崔尙宮馬上進入提調尙宮的勤務室，當場被臭罵了一頓。

「事情都已經壞到這種地步了，妳爲什麼還沒有來向我報告？妳到底在做些什麼啊？」

「那是因爲把長今拖下了水，以爲馬上就可以解決了。」

「這下被丁尙宮逮到，事情變得很棘手，丁尙宮並不是爲了爭功才那麼堅持己見，我是理所當然脫離不了關係，就連妳也被她懷疑著呢！」

「就算是這樣，她也不敢正面違抗您的命令吧？」

「如果是丁尙宮的話，怎麼會不敢。現在看來雖像是爭取到一天的寬限，但也好比是在跟她拜託一樣……」

「現在哥哥已經去找吳兼護大監商量對策，哥哥說萬一這件案子要轉到義禁府去的話，他也會想辦法把全部過失都推到長今身上。」

「最好藉這個機會把丁尙宮給完全除掉，以絕後患。」

「丁尙宮最近常常不在水刺間，好像是因爲關節炎的關係。稟告王上這件事，趁機換掉最高尙宮如何？」

「嗯，反正當個傀儡快十年也算長了的吧？更何況，還不是個乖乖聽話的傀儡……」

老謀深算的提調尙宮轉動著眼珠子，並從鼻子哼出冷笑聲，一旁看著的崔尙宮臉上也布滿得意的笑容，想像沒了丁尙宮後的水刺間，以及淪落爲自己手下的韓尙宮悲慘的模樣，心裏就痛快得不得了。

到那時候，長今她們怕要落到比在地上的螻蟻都不如的地步了。

接到吳兼護指示的朴副監也在宮外馬不停蹄的到處奔走。首先從畫符咒的占卜術士開始，交代要是義禁府問起的話，千萬記得要說是長今過來請託畫符咒帶走的。然後去見大殿別監公公尹莫介串通好假的證言，要公公說那晚因有事急著要跟輪值夜班的內人說，結果到退膳間去時，正好看到長今不知道在藏什麼東西，最後朴副監又去見了好幾位義禁府的官員。

當朴副監忙於前後串通整個事件之際，韓尚宮也開始遍翻長今的房間，卻沒有找到任何可能的東西，接著又沿著長今曾走過的路徑，決定不管是什麼地方都要仔細的搜尋。韓尚宮的想法是，就算得翻遍整個王宮，自己也一定要把長今無法交出來的東西找出來，一定要有那件東西，才救得了長今。雖然不知道她到底有什麼難言之隱，但不管是什麼，都絕對比不上自己的性命重要。

韓尚宮在長今曾獨自練習烹飪的訓練場到處翻找時，連生急急忙忙的跑來傳達最高尚宮要她準備黃花菜的命令，韓尚宮立刻趕到水刺間，看見閔尚宮在調方、昌伊、令路面前晃動著曬乾的金針花。

「金針花，又名黃花，也被稱爲萱草或憶母草，如果以萱草取代粉絲作成什錦菜的話，則味道甜美，又能提高食欲，而且……」

韓尚宮一面走進來，一面接下去說：「可舒緩五臟六腑，讓人感覺身體輕盈，特別是有明目的功效。不過用金針花煮飯或煮湯的時候，記得一定要把花蕊摘掉，那是因爲花蕊含毒的關係。」

所有的人都仔細聆聽，眼睛眨也不眨一下的，而一直在找機會插嘴的令路則突然大聲叫道：

「唉呀，嬤嬤！沒看到今英姊和長今耶。」

「叫她們辦點事情去了。」韓尚宮面不改色，繼續往下說：「明天要講解乾海棠花，後天則是乾藤花，這陣子我們就試著做做花料理，所以妳們要預先研讀好有關花食料理的各類常識。」

花食文化在朝鮮朝非常普遍，屬於將大自然轉化爲味覺的一環，其實除了味覺之外，花在視覺及嗅覺方面也深具影響力，既可以觸發美好的心情，喚起人們對季節交替的感受，配合植物的生長期來吃花料理，又能辟邪或祈福，因此食花又常被視爲有誠心誠意祈求豐年、生產麟兒之意。

杜鵑花、黃玫瑰、白色野薔薇和菊花之類普遍是用來做花餅；梅花、橘子花、海棠花、忍冬花、蓮花、野杜鵑和玫瑰花之類的則多用來泡成花茶飲用。一般來說，金針花、韭菜花、紫藤蘿花、梔子花、油菜花、南瓜花和松花等，多是用在野菜料理上，或予以醃漬、煮湯、煮飯；而杜鵑花、南瓜花、金蓮花、菊花和黃玫瑰及萱草等，則爲王宮中常用的花料理食材。

韓尚宮所烹煮的金針花菜由最高尚宮直接端上大殿。

「殿下您說最近眼睛看東西會不太清楚，所以特別爲您準備了金針花菜。」

「哦，是嗎？」

王上面露喜色，將矮桌拉近坐下。提調尚宮立刻露出像挨了一拳的表情，與坐在火鍋旁的崔尚宮交換眼神。

「好甘甜的味道啊，是用什麼改變了口味呢？」

「這是用金針花代替粉絲做成的黃花菜。」

「金針花是吧？傳說花鹿吃了可解九毒，所以又叫做花鹿草，是不是這樣？」

「王上說得沒錯。懷孕的人多吃可生男兒，故又名宜男草。」

「是啊，最近也不知道爲什麼情緒變得非常愉快。」

「那眞是太好了。」

「妳上的料理當然是其中的原因之一，加上丁尚宮針對這些菜所說的故事，經常能夠讓寡人忘記了一天的疲勞。最近心情雖好，但若是少了丁尚宮說的故事，寡人多少還是覺得有點寂寞。」

「奴婢惶恐至極，殿下。」

「寡人聽說做飯時會使用遍及全國八道所進呈的材料，蘊含著讓國君瞭解各地方土產與特產特性的用意，所以國君在吃飯的時候，不只單爲滿口腹之欲，同時也該感受到農夫耕田及漁夫捕魚的辛苦，不是嗎？因此，丁尚宮以後還是常到大殿來吧！別的尙宮只有好手藝，沒有好口才，讓寡人覺得無聊極了。」

「是，殿下。奴婢遵命！」

王上露出心滿意足的微笑，而提調尙宮和崔尙宮的表情則不約而同的僵硬起來。

夜深人靜的王宮裏，只有夜鳥啼鳴，備感淒涼，每次蓋著被子聽到夜鳥鳴叫，總讓人心酸難抑，過去夜漸深沉而兩人並躺著時，明伊就會把手伸進棉被裏握住她的手，輕聲叫道：「白英啊！」

「嗯？」

「有沒有聽到那個聲音？」

「什麼聲音？」

「就是鳥啼的聲音啊。」

「有，聽到了。」

「如果妳不在的話，我就得獨自一人聽那個聲音了，獨自一人聽夜鳥啼鳴的話，就太淒涼了。有妳在我身邊，眞好。」

那樣的好友已經不在了，現在只剩下她獨自一人躺在被窩裏聽淒涼的夜鳥啼鳴，不斷的鳥啼讓洶湧翻騰的內心更加刺痛不已，韓尚宮終於無法再忍受，翻身起牀就跑到倉庫去。而擔心好友，一直在倉庫前徘徊的連生也跟著她跑進裏頭。

「交出來！」

韓尚宮一跑進來，沒頭沒腦開口就叫人交東西的聲音讓長今轉動了一下眼珠子睜開來。

「妳再不交出來就死定了！我無法這樣眼睜睜的看著妳死，現在就給我交出來！」

「嬷嬷！以後要是有機會，一定向嬷嬷稟告所有的事實，但現在時機未到。如果我現在把那東西交出來的話，不就會讓所有人都看到嗎？我萬萬不能那麼做。」

「可是如果不那麼做的話，妳就死定了啊！難道眞的要我眼睁睁看著妳死嗎？從前已經送走了一個，留我一人獨活，但這樣的事情，我絕對無法忍受再來一次！」

「我也不希望這樣，但是父母親生前曾經交代過我有些事絕對不能說出口，就因爲我沒有遵守那個約定，才讓父親過世，就是這愚蠢的長舌害死自己的父親。」

「可是如果妳這次不動動舌頭，死的就是妳啊！」

「我原本就是個早該隨父母共赴黃泉的罪人。」

「那些事情我不知道，也不想知道，現在我只要妳快把東西交出來！當場就給我交出來！」

韓尚宮淚流滿面，長今也哽咽得無法言語。什麼都不知情的連生則嚎啕大哭。

「是母親的遺物，是母親留下來不能給任何人看到的遺物……母親曾說不管對誰都不能說出父母親的事情，結果我違反了約定，失去了心愛的父母。現在或許來不及了，我仍想要信守那個約定，就算是誓言吧！絕對、絕對要遵守母親的遺訓。」

「妳這薄情的孩子！沒用的東西！愚蠢的笨蛋……」

韓尚宮激動的揮拳搥打長今的肩膀，一下、兩下、三下……長今不閃不避，全部承受下來，連生突然撲過去把長今抱進懷裏替她承受搥打之痛，結果是三人一起抱頭痛哭。

天色漸明，去過提調尚宮那兒的最高尚宮聽到意外的命令，頓感心慌。

「把兩人都送到義禁府去。」

這是什麼令人毫無頭緒的決定啊？好像在黑暗中挨了一拳，完全無法擺脫不祥的預感。同意寬限一天眞的錯了，那老狐狸和崔氏一家分明又連夜動了手腳。

所以才沒有直接送去義禁府，而是先帶到自己的勤務室去。如果那些人已經挖好了陷阱等人掉下去，儘管無法避免，但她仍不想毫不掙扎的就這樣乖乖掉下去。就算是只看到一根樹枝，也要想辦法捉住不放，如果連那種機會都沒有，至少也要拖那幫人中的任何一個一起下水，但到底要怎麼做才能找到這個法子呢。

最高尙宮整個人充滿了憤怒與無力感，深深嘆了一口氣。

這時外面傳來韓尙宮的聲音：「有事想要懇求您。」

「妳也是來求我將此事作罷的嗎？」

最高尙宮朝著才一天就變得憔悴不堪的韓尙宮，盡情發洩內心的憤怒，那是因爲能夠相信的只有韓尙宮一人，可以掏心掏肺的對象也只有韓尙宮一個人而已。

「把飲食用在權力鬥爭上的人我最討厭，大殿御膳在他們眼中也變成一種權力。不管是想利用那個來擴張勢力的人，或者是爲了獲得權勢而巧言令色，吹捧奉承的人，全都無可饒恕。無論是文宗大王受褥瘡之苦時端上豬肉；或是叛亂時在飯菜裏加藥迷昏士兵們，我都知道是誰搞的鬼！」

「嬤嬤，我擔心您的身子，請不要如此激動。」

「爲什麼我要接受根本無心想做的最高尙宮位置，妳知道嗎？那是因爲我想至少在我擔任這個位置的時候，能夠杜絕那種骯髒的手段啊！」

「我怎麼會不瞭解嬤嬤的苦心呢。」

「飲食是神聖的，進入人嘴裏，經由舌頭愉快的品嘗，幫助身體恢復元氣，等物盡其用之後，再化為泥土滋養大地，如此循環，生生不息。所以我絕對無法接受神聖的飲食淪為權力慾望者手上的玩物！」

「知道，這些我真的都知道，但是，嬤嬤……」

「一定要揭發出來。崔氏家族醜陋、卑鄙種種的惡行，一定要讓它暴露在全天下人的面前。」最高尚宮宣示著她的決心。

「我自五歲進宮，到現在為止已經在嬤嬤身邊待了三十年了，我怎麼可能會背棄嬤嬤的信任，阻撓嬤嬤的大志呢？」

「那妳為何不乾脆說要我就此作罷，只一個勁兒的在我面前表現焦慮不安，試圖動搖我的決心呢？」

「因為長今就快死了，因為只有無辜的長今會死啊！」

韓尚宮的聲音彷如杜鵑啼血般淒切。一提及長今的名字，最高尚宮就像被踩到痛處一樣的人幾乎無法呼吸。

「就像嬤嬤您相信我一樣，我也相信長今，儘管她還不太懂事，又老是四處闖禍，但絕不是個會去畫符咒的孩子。」

「就因為這樣，所以更需要查明事情眞相才對啊！」

「不！會死的只有長今！這不也是嬤嬤您所熟知的事實嗎？」

「妳現在是在嘲弄我徒具空位、毫無實權的最高尙宮職位嗎？」

「我是眞的害怕，嬤嬤您還記得我那善良又純眞的摯友明伊嗎？」

「當時就是把那種事情隨便了結，今天才會又發生長今淪為陰謀下犧牲品的事，所以我再也不會坐視不管了！」

「嬤嬤，求求您！求求您饒了長今。」韓尙宮已幾乎要失去平日的冷靜。

「住口！現在我連妳的聲音都不想聽，妳馬上給我滾出這個房間！」

「長今……求您饒了她，饒了長今吧……」

韓尙宮匍匐在最高尙宮的腳前哀求，俯視著她的老尙宮滿布血絲的眼裏，也並非沒有因掙扎而起的動搖，但最後還是像要再度堅定決心似的，毅然決然的起身打開門。

冷風颯颯，在這種季節裏被拷問的話，一定很悽慘。傳言義禁府裏時而執行亂杖刑，那是把受刑人綁在刑具上，由數名刑吏持杖在側，一同以亂杖毆打犯人身體各部位的一種刑罰，因為用來拷問罪犯的是上了紅漆的棍棒，故又名「朱杖撞問刑」，另外還有以草蓆蓋住罪犯，再用棍杖一陣亂打的被點亂杖之類的刑罰。不管怎樣，一旦受亂杖拷打，一般來說，結果少有活命。

只要風一吹過，樹葉就群魔亂舞似的一陣抖動，夾在風聲中傳來的嚴鼓聲唯獨今天聽來特別悲壯，國君就要上朝了。耳聞鼓聲，最高尚宮突感心中一撼，腳步即像背叛了自己的意識般，直朝提調尚宮的勤務室走去。

「就照嬷嬷的意思去做。」她木著一張臉，心如死灰。

「之前妳懷疑我的意圖，義正嚴辭堅持說要送到義禁府去才不過是什麼時候的事啊？怎麼現在突然又改變心意了？」

「我錯了，請您原諒。」最高尚宮的心中當眞比誰都苦。

雖然不知理由何在，但她能改變心意，正合提調尚宮的希望，便也順勢說：

「這次的事情就算了。另外把那個叫長今的孩子趕出宮去吧。」

「如果眞的要趕，那應該是今英和長今兩人一起趕。」這一點，她無法再讓步。

「這樣的話，兩個孩子的問題就交給妳去全權處理吧。」提調尚宮也知道見好就收的道理。

從勤務室出來後，最高尚宮就把崔尚宮和韓尚宮叫了過來，交代了事件落幕的方式。韓尚宮聽完後草草行個禮就快速飛奔到倉庫去了，此時長今已經完全失去知覺般直挺挺躺在地上。韓尚宮扶起已無知覺的她，揹在背上走出了倉庫，嘴裏自然而然的流出一聲嘆息。

「眞是倔強透了……」

純眞又頑固的個性啊！將來恐怕還會碰到許多撞得頭破血流的事吧，何況又是身在宮中。想在王宮裏存活下來，不是得變得卑劣，就是得懂得軟弱，那些都不會的話，至少也要懂得掩飾本身的才能或光華，才不會成爲邪佞之徒的眼中釘、肉中刺。

彷彿總想要趕走意念堅定的女孩，宮闕裏殺閥的氣息也太重了。從這個不知折腰也不懂放軟身段的孩子身上，似乎已清楚的預見她的一生將艱辛多舛，然而自己又能怎麼辦呢？不想折腰又不想放軟身段的話，就得正面迎向狂風暴雨，而每當碰到這種情況時，這孩子又寧可選擇被連根拔起，也不肯稍作妥協，像這次不就差點被連根拔起嗎？雖然已經過去了，但還是沒有任何一個人可以阻止這個孩子吧。但自己不也就是這樣才會珍愛這個孩子嗎？或許這些全都是情不自禁的事吧。

「天神純氣丸，只有王上殿下御用，天下獨一無二的名藥，就在我的手上。」

德九在王宮隱密的一角把宮中太監都聚集起來，得意洋洋的炫耀著，一千內侍全都目不轉睛的盯著只有孩童眼珠般大小的藥丸看。

「這個眞的是獻給王上的那個嗎？」

「唉呀，不是說過正是那個了嗎？我親戚東植也是吃了這個，才生下整整盼了十年的兒子啊！」

「德九，你這個人啊，剛剛說的都是眞話嗎？」

「我怎麼會知道呢？原本的確是因爲自己想吃吃看，才會用獻給王上以後剩下來的藥材做了一些，誰知道做出來以後，這個也要，那個也要，就這樣全被搶光了……」他甚至露出抱憾的表情。「結果明明是我這雙手做出來的藥丸，自己反而卻一次也沒吃過。」

語罷，德九還咋了咋唇舌，繼續做無奈狀。

「到底是用什麼做的，能有那麼大的功效？」

「哎呀，也沒什麼啦。不就只是想要躍上十丈瀑布龍門的鯉魚，象徵精力的蝮蛇，在嚴冬寒雪裏也旺盛生長的冬柏花粉，連十五月圓夜都不休息，拚命進行交尾的海狗狗鞭，有著神祕力量的紅蔘粉……啊！還有，再加上枸杞子、五味子、覆盆子和菟絲子，然後混合蜂蜜製成。」

「聽你使用的藥材好像還眞的是靈藥哩。」

「我不是已經一說再說了是獻給王上的嗎?當然是靈藥囉。」

「喂，那把靈藥賣給我吧!」終於有人上鉤了。

「幹什麼，我都說這不是爲了賣錢才做的藥了啊，你還這樣，連我自己想吃都沒有耶。」

「不要你自己一個人高興就好，賣給我啦!我日夜不停的操勞，連個休息時間都沒有，眞的快累死了。」

「唉，你這樣讓我很爲難耶……」德九還特意裝出爲難的樣子。「好吧!看你的狀況好像很辛勞，我就特別賣幾粒給你吧。事實上，我不用吃這種東西，也是精力充沛到難過的地步，像我老婆還會向我哀哀求饒呢。」

「眞的嗎?我聽說有些男人因爲體力不好，他們的老婆還會挖苦的懇求說乾脆讓她們死了算了。」因爲是太監，也只能這麼說來表示對德九的羨慕了。

「會衰弱到那種程度哦?如果你們的體力也彷彿那樣的話，就賣給你吧。嗯，一定要賣給你才行。這種藥的功效眞的很強，像我做藥的時候呀，光是聞到味道，整個人的力氣就不停的湧上來，你們都不知道有多厲害。」

「眞的，那你多少才肯賣?」

「這眞的不是爲了賣錢才做的啊，好吧，那就賣你十兩好了。」

「每粒十兩啊?」

「怎麼,嫌貴?我只是酌收材料費而已,材料費啊!你嫌貴,那就不要買!」

「不,不是那個意思啦,不過可以便宜一點嗎?」

全神貫注在賺錢上頭的德九連長値內侍走近身旁都毫無所覺,只忙著跟人家討價還價,反倒是眼尖的人一個、兩個接連走掉,德九忙著數錢,還是一點都沒有發覺到,長値內侍就這樣當著所有內侍的面揪住德九的領口,硬把他給拖走。

「你可知罪?」

面對長値內侍的震怒,德九嚇得幾乎整個人都趴倒在地上。

「唉唷,請您原諒我一次吧!他們也是人啊,老是來跟我哀求,求我救救他們……我可以向老天發誓,絕對沒有去碰王上的藥材。」

「這傢伙,不讓你嘗點苦頭,你還眞的不知罪呢。」

「知罪,當然知罪。竟然在神聖的王宮裏聚眾豪飲,小的罪該萬死。」

「你這該死的傢伙!侮辱內侍的罪,我絕不會善罷甘休。」

「您說的是侮……侮辱內侍……的罪嗎?」

「我的養子成爲內侍才不過四個月,就因爲跟你買那什麼藥吃了以後,每天晚上身體抖個不停。你想賣精力丸,找不到對象,就拿來賣給內侍們啊?眞是個該死的傢伙！」

德九心想自己這回死定了！怎麼會那麼剛好，那個年輕的內侍就正好是長值內侍的養子呢！光是暗藏藥材做來賣錢這點就已經沒有辯駁的餘地了，又被長值內侍逮個正著，至少二十棍杖看來是免不了的了。但就算那樣，自己也不能束手待斃啊！

「問題絕對、絕對不是出在那些藥丸上頭。」

「什麼？都這樣子了你這傢伙仍不知悔悟，還想狡辯。」

「事……事實上 鯉魚躍龍門的故事是我隨口編的謊言……蝮蛇啦、海狗鞭啦，我哪拿得到啊，不過是放了綠豆粉、青蛙後腿粉末，再加上陳皮、甘草、枸杞子，全部摻在蜂蜜裏揉製而成的罷了。吃了這些晚上會睡不著的人，就算只吃野外自然生長的雜草也一樣會睡不著啊！」

「哼，你還眞行啊，聽起來還眞像那麼回事。」

「您能瞭解，小的眞是銘感五內。」

「來人啊！把這傢伙拖下去，十根手指全部砍掉！」

「唉唷，尙磊公公！」

「這該死的人比我原先想像的還要狡猾，除偷藏王上殿下的食材，侮辱內侍之外，還要加上詐欺罪，眞是個沒有用的傢伙！」

話聲才落，內侍們就跑來拉扯，捉住了德九。

「尙磊公公！饒命啊。尙磊公公！」

雖然用盡全力死命的掙扎，還是無法掙脫內侍們的掌握，德九頓感眼前一黑，浮上腦海的，就只有老婆那張又圓又胖的大餅臉而已。

大殿別監尹莫介就在此時慌忙的跑來。

「尙磊公公！王上下令馬上把待令熟手姜德九帶來。」

「什麼下令？你說王上下令要把一個待令熟手的人帶去嗎？」

「內情我也不是很清楚。」

德九眼觀四面、耳聽八方，心想著這下總算可以死裏逃生了吧，就大聲叫喊說：「大概是因爲上次小的爲太子殿下燉煮的補藥湯見效，所以王上要賜賞吧！」長值內侍張大眼睛一副不可置信的樣子，德九則不知何時已從內侍的手中掙脫，可以自己用腳走路了。

喝了蟲草全鴨湯之後，太子全身麻痺，倒地不起的消息撼動了整個水刺間，而那麼巧的，燉煮那道湯呈上的待令熟手就是德九。所謂蟲草全鴨湯就是放了冬蟲夏草的水煮全鴨，做法是先去除鴨子的內臟，在鴨腹裏以生薑和洋蔥的大切片墊底，再塞入冬蟲夏草、丁香、肉桂、草荳蔻和人蔘之類的藥材，一同燉煮出來的一道補湯。

根據連生傳來的消息說，德九現在正跪在內侍府廣場前受審，不斷大聲的喊冤，說自己只使用了菜單上頭所記載的材料而已，絕對沒有放其他東西進去，所以要不是太子原本有疾，就是內醫院的失誤。

長今原本在水刺間，聽到這消息後簡直不敢相信。最高尚宮派來的醫女爲她診治，經過韓尚宮細心的照料，她的身體才稍稍復原沒多久，沒想到卻發生了這件事。韓尚宮吩咐連生一開始只能先餵長今一些米漿，之後再吃一點粥，然後慢慢增加粥的分量，直到受傷的胃腸可以吸收了爲止，可謂費盡心力。然而一聽到德九被捉去的消息，長今那才剛能吃點粥的胃腸馬上又開始翻騰起來。

在韓尚宮陪同下一起匆匆趕去的時候，德九已經被關進內侍府的監房裏，走來走去，一副焦慮不堪的模樣。

「到底是怎麼回事啊？」長今關切的問德九。

「我怎麼知道？這分明是個陰謀。」

「怎麼說是陰謀呢？」

「一定是因爲有人嫉妒我太受殿下的寵愛，才在飲食裏下毒吧。」

「都已經到這種地步了，您還開那樣的玩笑？」

在旁邊一直注意聽著他們對話的韓尙宮嘖了一聲，至此她也覺得他眞是不對勁。

「我也是滿心焦慮才會這樣說啊！主要的食材只有全鴨和冬蟲夏草，藥材也只使用內醫院發下來的那些東西，其他還有什麼東西可以放呢？我又爲什麼要那樣做？那樣做只會浪費我自己的錢而已……」

「氣味尙宮應該已經先檢驗過味道了，不是嗎？」

「這就是我的意思，早說過沒有任何的問題嘛。」

這時東宮殿裏爲太子把脈的御醫已經做出最後診斷，判斷是飲食被下了毒，但既然有通過味道的檢驗，可見就是被下了用銀湯匙也無法檢驗出來的毒藥。王后娘娘昏了過去，王上則大爲震怒。

德九的妻子偷偷找上了長今，一把鼻涕、一把眼淚泣訴之後才離開。

「我早料到那個死沒正經的胡鬧玩到最後一定會有像現在這樣的一天！唉唷，這個冤家啊……他是我唯一的郎君，如果他有個什麼差錯，我也不要活了，我不要活了啊……」

勸說安慰了好一陣子，送走德九的妻子之後，長今就去找韓尙宮，碰上正好從內醫院過來和韓尙宮見面的醫女。

「醫官們請您將這些毒草放進『蟲草全鴨湯』裏去。」

「爲什麼要這樣做呢?」

「這是醫官們的交代，說是爲了要找出完全不會改變湯的顏色，也查不出味道來的毒草，那樣才知道該使用何種解毒劑來解除太子麻痺的狀態。」

醫女回去以後，長今主動爭取要負責這件事，但韓尙宮卻只是不斷的搖頭拒絕。

「妳和姜待令熟手關係親近，外人很難相信妳會保持中立的立場，沒必要橫生枝節，甚至招惹麻煩，還是交給其他的孩子去負責吧。」

最後決定由令路、連生還有昌伊負責這件事，長今暫時不要插手，不過她因爲那段時間沒能好好研讀的料理課程，鎭日不離水刺間，連生只要有空就會過來，告訴她最新的結果，但每次的結果不是料理的顏色有變，再不然就是煮出來的東西不見任何異樣，但一以銀湯匙檢驗，便次次都會變色。就這樣兩天過去了，太子的麻痺症狀還是沒有好轉，而在全宮上下爲這件事忙得天翻地覆之際，水刺間的內人們還是沒有中斷飲食的訓練，繼續孜孜不倦研究著，在水刺間廚房裏排排坐好，聆聽韓尙宮教導的雉雞火鍋課程。

「雉雞火鍋可以清血、降血壓，還可以止瀉。不能和雉雞火鍋同時食用的有哪些東西，妳們知道嗎？」

「有胡桃、木耳、蕎麥、青蔥和黃豆。」

正確無誤的回答來自今英。

「知道原因何在嗎？」

「是因爲對腦及心臟不好的關係。」

「對極了！本來每一種食材就含有多種性質，端視一起入菜的食材是否合適，對人體可以有益，也可以有害，這就叫做飲食的相輔相剋。」

眾人均眼神專注，仔細聆聽，唯獨長今因想著別的事情，而顯得心不在焉，這模樣當然引起注意，但韓尚宮只裝做沒看到，繼續她的飲食課程。

「爲了消除豬肉的異味放入丁香也是基於同樣的道理，但如果和含有鬱金的湯藥一同服用的話，十之八九會引發腹瀉和嘔吐。」

這話讓長今好像突然開了竅。

「丁香……鬱金……」

「不能和鯉魚同時食用的有哪些，這次換長今妳說說看。」

「和蒜頭一起食用的話，會產生微熱；和芥菜同食的話，會長腫瘍；和豬肝、雞肉、雉雞肉或鹿肉一起食用的話，也一樣會生腫瘍；把麥門冬放在旁邊的話，則對人體有害……嬤嬤！我想暫時去個地方，馬上就回來。」

「妳學習學到一半想跑到哪兒去啊？」

「有樣必須要弄清楚的東西……德九叔對我來說就像是父親一般，請嬤嬤允准我先退下。」

韓堂宮沉吟了半晌，終於點頭說：「那就快去快回吧。」

一得到許可，長今馬上朝著內醫院的方向飛奔而去。就如同鯉魚和麥門冬一起食用，可能會致人於死一樣，彼此調和後反而會產生毒素的食材一定還有很多。長今猜測或許是蟲草全鴨湯裏的某項材料和另外不知名的東西結合，因而產生了毒素。只要能夠找出那個東西，就能證明德九的清白。

醫女施然卻搖著頭說太子食用蟲草全鴨湯時，並沒有同時特別食用其他的東西。

「請您再想一想，想想有沒有食用與平常不同的東西？就算只有一點點的不同也可以。」

「沒有啊……」她想了一下，再說：「眞要說有的話，就只有肉荳蔻油……」

「肉荳蔻油？那是什麼東西啊？」

「聽說是一種香辛料，是出使明朝的使臣帶回來的，其他的我就不知道了。那幾日因爲太子身體微恙，所以內醫院在三、四天前曾呈上了肉荳蔻油。」

如果說是朝鮮很少使用的明朝香辛料，或許一般人對於其效能或毒性知道的並不多。長今一想到要尋找更多有關於肉荳蔻油的詳細資料，腦海裏不期然就浮現了「校書閣」三個字。

請人去傳話後，又等了好一陣子，閔政浩才出現，也不知道是不是急急忙忙跑出來的關係，到了長今面前，還先大口喘了氣，才露出略帶靦腆的笑容。

「日前沒能赴約，眞是抱歉。」

「發生了什麼事嗎？妳臉色看起來不太好。」

「不是什麼大事……」既然說來話長，長今乾脆就決定什麼也不說了。「這是原本那時要還給您的書。」

政浩伸手來接書，眼光一逕盯在長今的臉上。

「對了，大人，可以再借我一本書嗎？」

「妳說說看。」

「一本叫做《眩痲集敘》的書。」

「妳現在連醫書都讀啊？」

政浩燦然一笑，開始帶頭往前走。

跟在他身後走向校書閣的小徑上，驕陽如炙，但冷風凜冽。風掃過每一根樹枝，好像要把最後一片樹葉都吹落般呼呼作響。隨地亂竄的落葉，偶也成列的跟在兩人身後翻飛。此時天地顏色暗沉，更襯托出走在其間的這兩人服色鮮豔，政浩的藍色衣冠與長今的紅色髮帶分外耀眼。

在校書閣前接過政浩遞來《眩痲集敘》，長今發現回身的政浩雖然什麼話都沒說，但投注過來的眼光卻十分溫暖。兩人之間的對話減少了，似乎象徵著彼此心中都積滿了難言之語。

「是種對胃腸有益的藥材，可用於腹瀉與胃腸脹氣。精萃肉荳蔻油可治療慢性風濕痛，但肉荳蔻油含有強烈成分，多食會造成身體僵硬。身體僵硬……」

讀著《眩痲集敘》肉荳蔻油項目內容的長今對於「會造成身體僵硬」的部分特別留意再看。德九會被帶走，是因爲太子玉體麻痺，而所謂的麻痺不就是身體僵硬嗎？但還是有不解之處。《眩痲集敘》中特別提到了「多食」，可分明聽醫女說呈上的量極少。

「造成身體僵硬……造成身體僵硬……」長今不停的喃喃自語。

連生聽到也不禁停下攤鋪被褥的動作，注視著長今。

「像妳這種人，到底是吃什麼長大的啊？我有時眞想把妳剖開來，看看裏頭到底裝了什麼東西。」

「妳突然說這什麼蠢話啊？」長今幾乎要笑出來。

「碰到上回那種事情已經夠倒楣的了，妳現在怎麼還有力氣去管別人的閒事呢？」

「跟妳說了那不是別人，是曾經照顧過我的德九叔啊，而且他還可能會被賜死，這可關係著德九叔的一條命，以及他們一家人啊！」

「不要再說什麼賜死的話了，光聽到就覺得很恐怖。」

「賜死……對啦！賜死的毒藥！」

長今卻突然像接到賜死的毒藥般跳起來就往外跑，連生則對著被她一陣旋風似撞開的門扉大喊：

「長今，妳要去哪裏？」

「待令熟手料理間！有東西要試驗看看。」

原想跟著跑出去的連生馬上又打消念頭，同時唉一聲大大嘆了口氣，心想這世上有誰攔得住長今啊。然而東等西等，等到睡著，又因尿意起身一看，發現長今仍不見蹤影時，又不禁擔起心來。她原本就是個冒失鬼啊！加上前陣子身體飽受折磨尚未恢復，不知道會不會就那麼昏倒在什麼地方了？一思及此，連生馬上起身穿衣出門去。

到待令熟手料理間來一看，果然看見長今倒在那裏，手腳僵硬，無法動彈，卻不知道爲什麼還那麼高興，臉上充滿了笑容，讓連生差點哭了出來，心想長今終於開始神智不清了，一顆心也立刻跟著往下沉。

韓尚宮正好在最高尚宮的勤務室，一直到連生領著她們兩位趕到待令熟手料理間爲止，長今的麻痺症狀還是沒有解除。

「妳這回又是出了什麼事啊？」韓尚宮率先驚呼出聲。

「嬤嬤！我找到答案了。是因爲食物相剋的關係。」

「食物相剋！是什麼和什麼造成什麼事啊？」韓尚宮越聽越迷糊，也越心急。

「太子的麻痺是肉荳蔻油和人蔘造成的。」

這下換最高尚宮接口：「我是有聽說呈上了一點肉荳蔻油，但醫官也說只放了極微少的量下去，而且是明朝也常用的處方。」

「問題出在人蔘。人蔘是元氣之王，藥效也是最快的，不是嗎？就因爲蟲草全鴨湯裏的人蔘在瞬間提升了肉荳蔻油的效能，才會引發麻痺症狀。」

「可能是這樣沒錯，在賜死的時候，爲了縮短受苦的時間，不是也會在毒藥裏放入人蔘嗎？可是要如何證明是因爲肉荳蔻和人蔘相剋，才造成了太子的麻痺呢？」

最高尙宮本想繼續應和，但還是先提出了疑問。

「嬤嬤，我就是證明啊！」長今說。

「妳說什麼？」

「我直接吃了肉荳蔻和人蔘，現在全身麻痺的症狀就是那所引起的啊！」

「眞沒看過像妳這麼執著的人，我現在馬上趕到東宮殿，韓尙宮妳快送這孩子去給醫女瞧瞧。」話一說完，最高尙宮便火速離開。

「嬤嬤，德九叔現在可以被放出來了吧？」

即使麻痺症狀越來越嚴重，長今心裏還是只掛念著德九，韓尙宮一如以往瞪住她看，眼神卻不令人生畏，心中且暗嘆，對於這個長久以來不斷闖禍的孩子，自己到底該拿她怎麼辦才好？

太子的麻痺因而解除，王上下令賞賜給親身試驗肉荳蔻和人蔘相剋的長今貴重的牛肉。

被放出來的德九還沒踏過門檻，就大聲喊叫妻子。

「老婆啊！」

德九的妻子只穿著棉布長襪就躂躂地急忙跑出來，並立刻用她那如灶蓋般的巨掌拍打德九的背部。

「唉唷，唉唷唷，你這冤家！不是說要關十年嗎？」她像哭又像笑的說。

德九則忙著閃躲，並說：「唉唷，老婆，會痛啦！我都已經挨了一頓打，妳幹嘛又打我？」

「有沒有哪裏受傷或短少的？」她似乎特別強調了「短少」二字。

「有啊。」德九答得乾脆。

「哪裏？」緊張的追問。

「膽子，」這已經是有點玩笑的口氣，「膽子只剩下黃豆那麼大了。」

「碰到這種慘事，你還是一樣這麼口無遮攔！」德九的妻子氣得推他一把說：「快走啦！」

「才剛回來而已，妳又要叫我到哪裏去？」

「到司饔院去看一下長今啦。」

到了司饔院去，沒看到長今，只碰到剛好代替長今出來取材料的韓尚宮，見到德九夫妻，韓尚宮即僅淡淡的行個注目禮。

「勞您辛苦了！」難得德九並沒有忘記致謝。

「我早相信眞相會有查明的一天……」韓尚宮依舊一臉平常的說。

「嬤嬤，長今呢？」德九的妻子問道。

「身體還未完全復原，醫女正以針灸爲她治療，相信麻痺症狀會慢慢的減輕，請不用擔心。」

「那麼，請您轉告長今，每個月從俸祿裏扣掉的白米，以後給她減半。」

「什麼意思？」韓尚宮完全聽不懂。

「您只要那樣轉告，長今一聽馬上就會明白的。」

德九的妻子彎身行禮後，正想說可以走了，卻看到德九兩眼痴迷的看著韓尚宮，氣得她立刻狠狠地捏了他的腰窩一下，德九雖痛得眼淚都流出來了，連喊也不敢喊一聲。不過那雙眼睛仍像煮過放著的鹿皮繩一樣強韌，即使被妻子拉扯著離開，還是一直回頭望向韓尚宮，嘴裏兀自喃喃自語個不停。

「可惜啊，可惜。那麼美的人就這樣終老一生，眞是可惜啊……」

第十章　喪失

提調尙宮的生辰快到了，依照慣例水剌間每位尙宮都要準備一道珍貴的料理祝壽致意，最高尙宮也決定要準備一道淺盤火鍋。問題是最高尙宮的病情日漸惡化，甚至連要好好站著都有困難，但醫女診斷說並非因爲老化所導致的關節炎，而是腎臟虛弱的關係，如果眞是那樣就不得了了，因爲那病痛不是說休息幾天就可以痊癒的。宮女一旦染病，就會被送出宮外，年輕的時候或許還有兄弟姊妹歡喜相迎，但在宮中已過半百之年的宮女，說到家，大概也就和進墓穴裏歇息沒啥兩樣了。

尤有甚者是對最高尙宮而言，此刻眞可謂絕對不能退讓一步的關鍵時期，說什麼都無法將水剌間全員的命運交託給包括提調尙宮也在內的崔氏一門。

於是韓尙宮便交代因爲體弱，正好無法做粗重工作的長今，要她無時無刻協助最高尙宮。而爲了眞的能分擔最高尙宮的痛苦，就算只有一點點也好，長今可以說是傾盡了全力，完全不顧自己最近也飽受折磨的身體。

就這樣到了提調尙宮生辰宴的那一天，尙宮處所大廣場的遮陽篷前從一大早開始就排滿了禮物。

針房尙宮用最好的綢緞裁了一件衣裳，崔尙宮嫌人蔘、獸肉還不夠，連珠寶盒都抱過來了，甚至還有戶曹判書送來松茸爲禮。上自吳兼護，下至大殿別監尹莫介，凡想擠進這條行列的大小官員，無一不缺，全都備了厚禮過來。若非陣仗如此之大，連生也不會問，只不過是提調尙宮的生辰嘛，爲什麼連朝廷大臣們都會來送禮呢？

「我哪知道啊，妳去問問飛過的烏鴉好了。」

看來並不像是玩笑話，因爲最高尙宮話一說完，臉上卻跟著浮現出苦笑。

問題在於提調尙宮對最高尙宮精心準備的淺盤火鍋只舀了一湯匙，喝過後就把還發出「噗噗」聲正滾燙的熱湯給擱著，甚至熄火不吃了。

「這種東西，妳竟然敢拿出來叫我吃嗎？」

一瞬間全場變得鴉雀無聲，但是最高尙宮的態度坦然，臉上的表情顯示早有覺悟會發生這種無中生有、無的放矢的事。

但無論如何，從那天開始，水刺間最高尙宮的廚藝糟透了的傳言，就在提調尙宮、吳兼護和崔氏一門的推波助瀾下，開始祕密但快速的擴散開來。

對長今來說，又有了新添的煩惱，那就是全身麻痺的症狀雖已得到紓解，卻唯有味覺始終不見恢復。麻痺的舌頭嘗不出糖與鹽、酸醋和醬油的味道。酸、甜、苦、鹹、辣，不管是哪一種，都分辨不出來。

剛開始還以為大概用不著多久就會好轉，但一察覺到味覺始終沒有恢復後，長今即在沒有告知任何人的情況下，悄悄的去找醫女施然。施然說大概是試食時服用了太多，才會連舌頭的細微味覺也一併受到麻痺的影響，再過些時候應該就會慢慢恢復。施然也願意在她完全恢復以前保守祕密，不讓任何人知道，悄悄的為她針灸治療。長今對施然的細心唯有以無限的感激回報，而在施然為她針灸治療期間，就只好做一些比較單純的飲食，否則也沒有其他的辦法可想。

時間一天天的過去，長今也開始焦慮起來。水刺間內人喪失了味覺，就和將軍少了胳臂或斷了腿沒什麼兩樣。雖然施然勸她再等幾天看看，但對長今來說，此刻焦慮的程度已高漲到連一時半刻都無法再多等待了。

於是決定再次向政浩求助，好像每次都一定是在碰上什麼困難的時候才會想要去找他，讓長今十分歉疚。但反過來想，若非碰上了困難的事，政浩也不是自己可以隨便去找的人。

政浩臉色陰鬱，讓長今有些不解：一向對自己笑臉相向的人，今天為什麼會出現憂心忡忡的表情呢？

「大人，您有什麼擔心的事情嗎？」

「沒什麼，我原本很好奇妳爲什麼要借醫書，但後來聽說太子殿下的身子已經痊癒了是吧。」

「託大人的福，一切都很順利。」

「還聽說是妳親身嘗試的？」

「其他的方法我不知道，只好那麼做了。對了，大人，我可以再借一本醫書嗎？」

「哪一種的？」

「最好是詳細說明病患的各類症狀與治療方法的書。」

政浩要長今稍等，他自己進去找書之後，便消失在校書閣裏，長今回應的聲音乾澀，人也不太有精神。

一群宮女走過，眼光老是飄向這裏，長今感到自己與視線都不曉得要往哪裏擱，四處張望之下，突然發現沿著校書閣建築左牆，藏著幾朵盛開的黃色菊花，本以爲那是山菊，等看到葉片背面長滿絨毛，才曉得是腦香菊。這種花被形容有傲霜高節的個性，即使在下過霜後，也不會奄奄一息的萎縮，仍舊孤傲得展現出原本的色彩，美得令人讚嘆。

「那些花眞的很了不起，對吧？」

不知何時，政浩已來到自己身後。

「聽說戰國時代的詩人屈原便是朝飲蓮露，夕食菊瓣。」

「常食菊花瓣可治療暈眩，還可明目。」

「徐內人果然是水刺間的人。屈原是拿菊花來比喻自己清寒孤高的詩人心志，而看來徐內人卻只單純把菊花當成是一種食材罷了。」

「眞是抱歉。」

「這裏有《傷寒論》和《金櫃要略》兩本書，因爲我不太明瞭妳想找的內容到底是什麼，所以就先挑了這兩本，校書閣裏還有其他幾本，妳若需要，再過來拿。」

「麻煩您了。」

長今不敢抬頭與政浩失去平日笑意的眼睛對視，只好看都不看他一眼，匆匆點頭致意後就轉身想要離開。結果就在正要邁開步伐向前走時，身後卻傳來了他的聲音。

「不管是多麼重要的事情，這次請妳絕對不要再親身嘗試了。」

難怪剛才他的眼神會那麼憂心，長今聽了這話，眼淚已快忍不住掉下來，只得頭也不回的大步離開。

最高尙宮的病勢日漸沉重，終於有一天，起居尙宮送了提調尙宮煎煮的一帖藥過來，表面上當然得表現出感激涕零的模樣，但一待起居尙宮離開之後，最高尙宮卻陷入了長考。

第二天一早與平常一樣起身更衣，卻多花了一些心思，頭髮也比其他時候更加整理得一絲不苟。然後親手準備好御膳端上大殿。長値內侍和提調尙宮不必說，連崔尙宮和韓尙宮也都遵囑陪侍在旁。

和平常一般，膳食種類並不豐盛，比起美觀，反而更強調食用的方便，因爲御膳向來不以色調，而以實用性爲主。謙遜養生是朝鮮王族對飲食的一貫信念，就算貴爲國君，個人餐桌也不過就伸手可及的範圍而已，碗盤擺放的位置也徹底遵守方便與營養的最高準則。沾醬小碟放在飯碗正前方，便於沾取食用；熱食與新鮮的菜餚擺在比較前頭，以便最先取用；視線與筷子常到之處放的都是營養價値較高的菜餚；可吃可不吃的菜則總是擺在左邊。

在與平常沒什麼兩樣的場景裏，最高尙宮卻有著如被菟絲繞頸喘不過氣來的錯覺。崔尙宮坐在小圓桌前，韓尙宮則坐在火鍋架子前，王上等氣味尙宮做完安全測試後，即朝那些菜餚下箸，唯一不同的是中宗一看到最高尚宮，便面露喜色。

「寡人不是要妳常常過來嗎，怎麼好一陣子都沒有看到妳呢？」

「請王上饒恕，奴婢年事已高，老是感到很疲倦，大概也到了該退休的時候了。」

提調尚宮與崔尚宮一聽到這話頓覺驚慌，彼此飛快的交換了一個眼神，似乎是在說，「她到底想在王上面前做什麼？」原本專注在烹煮火鍋的韓尚宮也停下動作，一臉擔憂的看著最高尚宮。

「身體不舒服嗎？那寡人派御醫過去看看。」

「不用了，殿下。飲食這事，如果氣力衰竭，就無法做出該有的味道，請殿下諒解。」

「寡人不覺得味道有什麼不同啊，況且又不是現在已到了臥病在床的程度。爲了寡人，妳一定要多留一點時候。我這麼多年來不都一直倚賴著丁尚宮妳結合了口才和廚藝照顧嗎？」

「但殿下，這年事已高的身體何時會變得怎麼樣，奴婢也不敢說，上回最高尚宮的位置也是突然空缺出來，奴婢知道當時曾讓提調尚宮非常的爲難。」

「嗯，是嗎？」

「是的，殿下。所以奴婢斗膽，有一事懇求。」

「懇求？說來聽聽。」

「目前水刺間裏有兩位優秀的御膳尙宮。」

「哦？是誰？」

「一位是崔尙宮，出身於最高尙宮輩出的名門，很早就開始學習特殊的飲食廚藝。另一位是韓尙宮。韓尙宮具有分辨食物原味的天分。在我卸下職位之前，讓這兩位尙宮比賽看看，殿下認爲如何？」

「怎麼比？」

王上看起來興味濃厚，眼睛也爲之一亮，但其他三位尙宮卻都露出一臉的驚愕。

「有競爭才有進步，而且若能在堂堂正正的比賽以後，清清白白的退下去，也是留下良好的典範，不是嗎？」

「嗯，好像很有趣的樣子。寡人就只要借出這張嘴巴，評選出有才能者就可以了，對吧？」

「不過，殿下……」

提調尙宮正想插嘴，長値內侍卻攔住了她，並且以誇張的口吻說：「眞是妙極了，在選拔其他大臣時，如果也能用這個方法的話，似乎也不錯。」

「說得也是，是該那麼試試才對。就照丁尚宮妳的意思去做吧，但也不要因而太快進行比賽，太早離開了寡人身邊，知道嗎？」

「是，殿下，奴婢會督促她們努力學習，並徹底做好準備。」

「好，就這麼做吧。寡人拭目以待。」

從內殿退出來後，最高尚宮即把韓尚宮叫去，告訴她自己內心的想法。

「食物就是食物，絕對不可以把食物用在其他的目的上，就算只能維護住這點，我也要肅清歪風，才能安心的離開王宮，這也是我死前唯一的願望啊！」

最高尚宮的聲音顫抖著，韓尚宮聽著聽著不禁紅了眼眶。在料理上，可說是自己的老師，但在感情上，可算是自己的母親了。品格如此高貴的人現在變老了、病了，在離開王宮前最後一次回首過去漫長孤單的生涯，基於信任，而把最後懷抱的心願全託付給了自己。

「我把妳當成可以繼承我的志願的人，不過雖然說我如此相信妳，但在比賽的時候，我是絕不會放水的。如果我那麼做，不就無異於崔尚宮一門的惡行了？儘管我不瞭解過去妳曾受過她們什麼委屈，但我希望妳能以自身對食物的才能與用心，堂堂正正贏得比賽。」

不知道爲什麼，這番話聽在耳裏，就像在交代遺言似的，令韓尚宮滿心不安。

回到處所房間後的韓尚宮把長今叫來，不僅跟她說了最高尚宮的願望，也表明了個人的覺悟與決心，最後甚至連打從送走好友開始，長久以來便始終盤據在心頭不去的那種慘敗屈辱感也都說了。在毫無隱瞞的說完一切後，才終於道出自己內心當中最大的願望。

「我已經決定讓妳成爲我的上饌內人，從現在開始正式傳授給妳我的獨門祕技。」

長今看來雖有些吃驚，卻無明確表態，只是不發一語。

「爲什麼不回答呢？」

「我沒有辦法接受。」

「沒有辦法？」

「沒有辦法。」

雖是肯定的語氣，但韓尚宮還是不禁懷疑起自己的耳朵。這孩子雖然經常出狀況，但每次不按牌理出牌，卻都是努力想要達成目標，所以這次應該也是有什麼難言之隱吧。

「我知道妳不是個會覺得麻煩，或恐懼而逃避的孩子，到底是發生了什麼事情？」

「老實說，我的味覺喪失了，在吃了人蔘和肉荳蔻油引發麻痺症狀之後就變成了這樣。上回最高尚宮嬤嬤在提調尙宮生辰宴上所呈的火鍋就是我調的味。以爲幫最高尙宮嬤嬤調好的味道卻落得那樣的下場，讓最高尙宮嬤嬤受到極大的羞辱，不是嗎？我眞的沒有辦法。」

韓尙宮並不認爲火鍋的味道眞的出了問題，那不過是提調尙宮故意在挑最高尙宮的麻煩，但眼前她有更重要的事待辦，就對長今說：「走，一起去找醫女。」

「我早就去找過了。醫女說麻痺的症狀會慢慢的解除，需要一點時間，所以現在爲我做針灸的治療，但已經過了好幾天了，卻完全不見起色。在這種情況下，我如何能夠承擔起最高尙宮嬤嬤的最大的心願呢？」

「妳不是說醫女要妳等一段時間嗎？既然叫妳等，那妳就耐心等待，怎麼還沒去做，就先認定不行？」

「我太明瞭最高尙宮嬤嬤的願望了，因此更加不敢接受這樣的重責大任。」

「這麼快就放棄，眞不像妳的作風。妳不幫我的話，誰也都幫不了我。雖然妳喪失了味覺，我知道妳還是比其他的孩子優秀。」

「但是，如果一直沒有恢復的話……」

「我不想聽！既然知道了這件事，我就沒有袖手旁觀的道理。待我跟最高尚宮嬤嬤說一聲，咱們出宮去，妳心裏有個底就好，先下去吧。」

第二天一大早，長今就被韓尚宮拖著出宮去了，兩人均做一般庶民女子的打扮，經過長長的市集，然後轉進陰暗的窄巷，馬上看到一家藥舖。

「這種疾患分為味覺障礙與味覺退化兩種症狀，味覺障礙是吃到甜食，會覺得鹹，或者吃肉時，反而會感覺到甜味之類的，您是這種症狀嗎？」

仔細把過脈後，大夫向長今問診。

「不是的。」

「至於味覺退化症，就如字面上所說，是味覺退化的意思。打個比方，就是說或許要吃非常大量的糖，才能稍稍感覺到似有若無的甜味，嚴重的話，也有可能什麼味道都嘗不出來。」

長今的症狀正是如此，大夫接下去說明會造成味覺喪失的情況有兩種。太久沒有進食，或者突如其來的罹病，造成身體上的混亂，再不然就是因中風，或誤食藥草、毒草等而傷害了掌管味覺的舌頭也會變成這樣。如果是這樣的話，就很難治療，想要恢復味覺，可能需要十年，甚至二十年的時間也說不定。

離開那裏以後，韓尚宮又帶著長今再去找其他知名的大夫，並尋遍每一家藥鋪，但他們不約而同的全都只是搖頭。而每到一家，心裏幾乎都想著這是最後的一處，最後就連她們大老遠乘船去找的大夫也無能爲力的搖搖頭，這下眞的是幾近絕望了。

回程的船上，韓尙宮和長今都故意避開對方的視線，兩人隔著一段距離坐著，一個靠左，一個靠右，不知該投向哪裏的視線只好四處張望。微風搖晃著船身，船身劃破河面浪潮，慢慢的向前航。長今望著河面水波，忍不住開口說話：

「所有的大夫都異口同聲的說，想要恢復不知道得花費十年，還是二十年。」

「說不定明天就恢復了。」

「嬤嬤您一定要贏。」這是長今的心願。

「如果沒有妳，我絕對贏不了。」但韓尙宮也有她的堅持。

「如果因爲我，讓最高尙宮嬤嬤的願望無法實現的話，我這輩子都無法原諒自己，所以這件事萬萬不行。」

「就是一定要有妳在，才有可能實現。」

不知是迎面而來的風吹走了她吐出的話語，還是故意裝做根本沒聽見，韓尙宮仍然固執己見。

「嬤嬤，請您放棄我吧。」

「對我來說，妳是絕對必要的。」

韓尙宮突然拔高聲調，身體也跟著動起來，船身因而輕輕搖晃。長今保持沉默，然而心裏卻有著千言萬語，想憑這喪失味覺的舌頭去與崔尙宮和今英對決，無異於張網補天，螢光競月。

下船後的韓尙宮看也不看長今一眼，逕自往前走。嘈雜的渡口盡是商人與正卸下漁獲的漁夫們討價還價的聲音，鼻端聞到的也都是強烈的魚腥味。

「你想騙誰？捕獲到現在已過了一天的魚，敢拿出來騙我是剛補到的新鮮貨？」

一名商人「嘩！」的一聲丟開手裏握著的魚，仔細一看，他竟然是個盲人，遠遠望著這一切的韓尙宮與長今露出難以置信的表情。在充滿討價還價聲的渡口，任何人一瞥就可看得分明的，便是她們兩名女子與一尾活蹦亂跳的鮮魚。

「請幫我挑選兩尾新鮮的鯖魚。」

「原來是韓尙宮嬤嬤，今天聲音聽起來沒什麼精神。」

這名商人光聽聲音，便認出來者是韓尙宮，而且，只要用手觸摸，就可判定這條魚已經離水多久了。

無論如何，長今的視線始終離不開活蹦亂跳的鮮魚，沒手沒腳的生命竟然能像那樣甩動自己的身體，全力彈跳。明明抓不住任何東西，也掙脫不了，更逃離不掉，但即便只能在同一個位置上不斷上下用力的蹦跳，但還是直到死亡爲止才肯甘心停止下來。長今覺得眼前自己失去味覺，但韓尚宮始終不肯放棄的情況，正如同離了水的魚一般。於是看著逐漸死去的魚，她不覺有些同病相憐的傷心起來。

最高尚宮把韓尚宮與崔尚宮都叫來，要她們各自選定一位比賽期間可以協助自己的上饌內人。崔尚宮想也不想的就指定今英，而韓尚宮雖然稍微遲疑了一下，最終還是說出了「徐長今」三個字。

消息傳來，比賽一事立刻引發水刺間一片議論紛紛。這裏的八卦傳聞無一日稍止，但從來沒有過像這樣讓所有人都好奇的事情。比賽是一回事，正式成爲內人才沒多久的今英與長今被選定爲上饌內人。不但令路和調方耿耿於懷；就連昌伊和連生也是氣得坐在一旁動都不想動。

但是，聽到消息後最最震驚的人莫過於身爲當事者的長今本人。儘管從政浩那兒借來的書幾乎都快翻爛了，但內容卻連一句都沒用。一本書翻過來翻過去，最後長今終於把書丟到一邊，忍不住想放聲大哭，只好跑出屋外來吹夜風。掃過雙頰的冷冽寒風呼呼的吹，卻無論如何也冷卻不了燥熱不安的心。

一直往上跑到快要無法呼吸了，才停下來一看，結果竟然已經跑到每次採摘應時野菜時，經常上下來回的王宮後方村莊。在連何謂「料理」都還不太明白的年紀時，韓尚宮曾經要她在百日內拔來一百種野菜。那拔來的一百種野菜燙後吃、曬乾吃、炸了吃也炒來吃，還有生吃。如今長今眞想再次嘗試那時滿嘴去不掉的野菜苦味。連那怎麼吐都吐不乾淨的生草腥味，也不禁令人懷念起來。

好想逃……喪失味覺就等於宣告想成爲水刺間內人的心願破滅、必須斷念的意思，也就表示母親的夢想，甚至連自己的夢想都無法實現，但如果只是那樣，無論再怎麼痛苦，長今認爲自己都還可以忍耐。最害怕的卻是必須以這種喪失味覺的狀態去參加比賽，然後連累韓尚宮和最高尚宮輸了這場比賽，不，該說害怕可能會因爲打擊到她們的信念與勇氣才對。這份喪失注定會導致傷心的結果，長今如此深信不疑。

被趕出去的話，大不了就在德九家的酒坊裏製麴釀酒，度過餘生。雖說一旦成爲宮女，即使出宮，也還是會被視爲王上的女人。但是，那樣的話，也可能會碰到一個男人，兩情相悅，締結姻緣。就像當年父母親一樣，只是必須逃亡遠方，隱姓埋名。喪失味覺的宮女或許就像是榨剩的油渣一般毫無用處，但如果只是在一般百姓之家的廚房，情況又完全不同了。豆醬湯之類的飲食，她閉著眼睛都煮得出來，而且對一個普通男人而言，所謂的妻子，價値也不僅是煮飯而已。

就那樣過完一生也就算了，反正爲自己的男人煮飯，和準備王上的御膳又有何不同？如果有了小孩，從養育他們長大成人當中所得到的樂趣，可能還會讓人覺得一生太短了，自己的母親難道不就是那個樣子嗎？從王宮被趕出去的時候，整個人可能也曾陷入徹底的絕望當中，然而柳暗花明，之後又得著了想像不到的幸福。儘管當時年紀小，但母親倚偎在父親身旁幸福的模樣，長今至今卻仍記得一清二楚。

這樣看來，母女倆等於都走上了完全相同的道路：自小進宮，夢想著將來有一天能夠成爲最高尚宮，結果卻被趕出宮，遇見了內禁衛軍官……遇見了內禁衛軍官……長今無意識的將手裏抓著的草往嘴裏塞，就那樣嚼了起來。遇見了內禁衛軍官……如果腦子也能像舌頭一樣什麼都感覺不到、一片空白的話，那該有多好。

那人是世家子弟，就算自己離開王宮成爲一個平凡的女人，也沒有辦法嫁他爲妻。

長今吐出嘴裏嚼的草，開始哭了起來，可是不管怎麼吐，就是吐不盡那種椎心刺痛的絕望感。

跑回水刺間後的長今急急忙忙的舀起一匙鹽巴往嘴裏塞，接下去是酸醋、醬油、麻油，全部吞了下去，再嚼五味子、益母草、魚醬……幾乎能吃的全都吃了，然而嘴裏還是感覺不到任何味道，只有快奪胸而出的心痛絕望。

長今開始煮水，心想遲鈍失控的舌頭放在滾水裏，或許可以被刺激得找回一點知覺，水滾之後，長今急切的舀起一水瓢，被燙醒的卻只有焦慮的手，已經不知道該如何是好的長今，乾脆直接把舌頭伸向沸騰的滾水。

原本一直默默守在水刺間外的韓尙宮一見之下，趕緊慌忙跑進來拉住長今，手勁大到讓長今終於生起氣來。

「爲什麼您要給我這麼沉重的負擔呢？嬤嬤，請您放棄我吧！求求您放棄我吧！」

「想糟蹋自己的話，先把妳那身衣服脫掉，對軟弱的妳而言，內人的服飾究竟有什麼用！」

「如果您是可憐我才不肯放棄我的話……」

「閉嘴！我才不是那種會爲私情而把事情搞砸的人。」

「我沒法嘗出味道來啊。嘗出味道來啊……」

「妳的味覺一定會恢復的！」

「什麼時候呢？十年後？二十年後？」

「跟妳說了會恢復就一定會恢復，妳還這樣！更何況妳又不是嘗味道的人，而是調味道的人，不是嗎？」

「請您告訴我，感覺不到任何味道的人，要如何調味呢？」

「就算萬一味覺沒有恢復，妳本身也擁有兩項才能。一項是妳的手藝，有人天生就手藝好，有人則必須萬般努力才能練得好手藝，而妳卻是難得既有天分又肯努力的人。」

「可是如果分辨不出味道的話……」

「年老體衰、味覺退化的老婆婆，也能爲自己的孩子煮出令人讚嘆的豆醬湯，不是嗎？」

「……」

「再者，妳還擁有連崔尚宮、今英，甚至於我都沒有的才能，那比味覺更重要啊！」

長今停止哭泣，看著韓尚宮，心中卻認定所謂誰都沒有，比味覺更重要的才能，根本不可能存在於這個世界上。

「那就是創造美味的才能。長今啊，妳好好的想想吧！」

根本不必想，因爲長今連這話是什麼意思都不懂。

什麼「創造美味」！

「妳懂得拿菘菜來做餃皮，又聰明得知道要拿山泉水來當冷麵的麵湯，甚至還發現可以用木炭來去除醬油裏的雜味，這些難道都是妳嘗過味道才知道的事情嗎？不，這全是妳經驗裏沒有的東西。就是因爲妳擁有創造美味的才能，才讓這些事情成爲可能。」

「但是，這些都是在還嘗得出味道時所發生的事，不是嗎？」

「就跟妳說了不是啊！難道妳曾嘗過木炭的味道，才曉得要放到醬油裏頭去除臭的嗎？山泉水混合冬漬蘿蔔漬湯做出的冷麵味道，難道妳以前也嘗過嗎？」

「沒有……」這下長今也詞窮了。

「不要再多說了，從明天開始特訓，天一亮妳就過來。」

突然丟下這句命令後，韓尙宮便轉身離去，用的就像是第一次見到她時一樣冰冷的聲音，長今如同被丟在絕境中的人一般不知所措，幾乎什麼都想不起來了，腦子終於也像舌頭一樣變得對什麼都沒有感覺。

天一亮，長今到達太后殿時，韓尙宮早已準備好火爐、砧板以及各種調味料等著她。放在菜盤裏的兩粒大蚌看起來新鮮極了。韓尙宮不由分說，開口便要長今拿那兩粒大蚌做一鍋燉大蚌來看看。對長今而言，這是從來沒有做過的菜餚，只好在心中描繪出燉大蚌的樣子，再找出其他可與之搭配的食材。

長今猶豫的拿出竹筍，再找來小黃瓜和牛大腿肉一起放進菜盤中。耳邊馬上傳來韓尚宮的催促，令長今的心情越來越沉重。

韓尚宮就像門神一般固守在門前，根本逃不掉，長今如同吃了黃連有苦難言的握住菜刀，在等待牛肉煮熟的時間裏，先將小黃瓜和竹筍切成薄片。之後將小黃瓜撒點鹽稍稍醃一下，再將蝦子放入蒸鍋裏蒸熟，將所有的食材在圓盤裏一一放好後，再擺上蝦子與肉片，然後撒下胡椒和鹽，接著就無意識的伸出了手，想把醃好的小黃瓜放進嘴裏，結果韓尚宮如雷霆般的怒吼立刻當頭劈來。

「別嘗味道！以後也絕對不可以想嘗味道！」

「不嘗嘗看味道的話，怎麼做得出好菜呢？」

「如果妳嘗了味道，反而會因意志動搖而壞了一道菜啊！只要記得妳料理時手上的感覺就好。」

「但是……」

「長今啊，妳必須相信自己。如果妳無法相信自己，那就相信我好了。我是絕對相信妳的，難道妳無法相信我嗎？」

「……」長今無語。

「如果妳做不到的話，我也只好放棄妳了，難道妳以爲就只有妳才感到心痛嗎？」

長今再度振作，先做個深呼吸鎮定心情後，就把嘗味的小碟子放到一邊去，另外拿來小盤子，迅速放進松子粉、鹽、白胡椒和麻油一起攪拌。之後覺得松子粉醬有點硬，順手便舀起一湯匙的水想要放進去，一旁的韓尚宮立刻揚起眉頭。但長今隨即又不加思索的把水倒掉，轉而舀起一湯匙的肉湯，想一想，又把肉湯倒掉。拿起裝蝦殼和蝦頭的盤子稍微傾斜，果然還倒出了四、五滴的湯汁。長今便以湯匙把那些湯汁全舀起來加進松子粉醬裏，重新攪拌，然後淋到墊底的食材上頭去，再拿蝦頭和蝦尾裝飾好後，一道外觀無可挑剔的燉大蚌就完成了。

韓尚宮舀了一湯匙的燉大蚌嘗過之後，便嗒一聲用力的放下湯匙。

「現在，做一道豆腐火鍋來看看。」

反正已經習慣了突如其來的要求，長今連問都不想再問，只憑直覺的把材料一一拿出來：綠豆芽、白蘿蔔、香菇、水芹菜和細蔥等，全放在菜盤上。首先在豆腐上面薄薄的撒一層鹽，瀝掉水分以後，沾上太白粉放進湯裏煮熟。調味過後的牛絞肉，用手輕輕揉和，在煮熟的豆腐上面薄薄的抹一層，然後把另一塊豆腐疊到上面去，再以水芹菜小心的固定好，那是爲防萬一，另外加上的一道手續。最後依不同顏色的鍋底，排上蔬菜與肉片，再鋪上豆腐，淋上豆醬湯煮滾。

長今好想嘗嘗味道，只將手指握緊，拚命忍耐。雖然說是隨意快速調配出來的食物，但味道到底怎麼樣，長今好奇到幾乎都快要發瘋了。不知道是否因爲瞭解長今的心情，韓尙宮一聽到沸騰的聲音，馬上跑過來打開鍋蓋，舀起一口湯等它稍涼，然後深吸一口氣，緩緩放進口中。比起長今，韓尙宮的面色更爲凝重。

似乎嫌一口不夠，韓尙宮又再舀起一湯匙，以舌頭舔過之後，大滴大滴的淚水從韓尙宮的眼裏滾落下來。

「妳看吧。我不老早就說過可以的嗎？」

「怎麼會……」長今一臉不敢相信的說：「您該不是在說……在說很好吃……的意思？」

「好吃，眞的好吃極了。」

「我眞是不敢相信。」

「妳的舌頭雖喪失了味覺，但我的舌頭可好得很哪。分明聽都沒聽說過，妳竟然硬是想得出添加蝦殼汁的這個祕訣。這樣的妳教我如何能夠放棄？在燉大蚌時，崔尙宮雖然都加入肉湯，但我卻始終堅持要放蝦殼原汁，直到現在崔尙宮都還弄不清楚，爲什麼王上總是比較欣賞我的燉大蚌。」

「嬤嬤，會不會這次只是運氣好而已……」

「不要再說這種話！妳不是也在煮熟的豆腐之間放了調好味道的絞肉嗎？那是

其他所有的人，甚至包括我在內都沒想到的方法。難道我沒說過嗎？妳的確能夠創造飲食！」

韓尚宮又哭又笑，迥異於平時冷靜地大喊大叫。這才讓長今慢慢有了踏實感。魚販商人眼睛雖看不見，卻能以令人驚異的準確度挑選鮮魚，長今心想：是他讓我重拾了信心。如果憑手的觸感可以做到，就像那位魚販商人相信自己的手感一樣，我一定也能夠相信自己手感，只要我願意相信，就一定可以，一定辦得到！

如果只要相信，就會成功的話，那無論是百遍、千遍，自己都願意相信。雖然沒法像以前一樣確信，但此刻長今卻絕對願意相信韓尚宮那眼裏的光采，相信韓尚宮眼裏相信著她的光采……要是沒有那道光采，就再也找不到地方可以依靠了。

才說要相信自己的能力，宮中反而馬上發生了令人無法置信的事情，醬缸裏的豆醬居然全部走味。大豆醬、清醬、重醬、陳醬……不分種類，只要是醬缸裏的醬料，全都不約而同的變了味道。無論是今年才剛釀的新醬，或是已存放數十年之久的陳醬，無一倖免。

「醬」字中因有個「將」字在其中，故常被視爲百味之首，更何況在王宮中，醬是數千名宮女的基本料理，所以甚至會依此來占卜國運的吉凶。

聽說非得要選好良辰吉日才可開始釀醬，一般相信丙寅與丁卯日、諸吉神日、正月雨水日、立冬日、黃道日和三伏日釀醬，醬缸就不會生蟲，另外馬日、雨水日也被認爲是不錯的日子。

如此重要的豆醬走味，不僅是水刺間，連負責製醬材料的司導寺、司饔院與議政府也鬧翻了天，實在是前所未見的現象。

爲了商討緊急對策，司導寺的提調與長值內侍、提調尙宮、最高尙宮和醬庫尙宮全聚集到內侍府的勤務室。提調尙宮在大發雷霆的司導寺提調面前一再低頭道歉，最後司導寺提調下令，先找出醬味變質的原因，再盡快恢復原本的味道。

只剩下幾位尙宮在場的時候，提調尙宮把所有的責任都推給最高尙宮，說一切全是她的無能所致，什麼話也不想回，只裝做沒聽到的最高尙宮轉向醬庫尙宮，發出一連串具體的詢問：

「該不會是淋到雨了吧？」

「怎麼可能呢？」

「還是少曬了太陽？」

「絕對沒有那種事。我是您在醬庫時代就一路看過來的，您應該比誰都瞭解我，不是嗎？我有偷懶過一天嗎？」

「話是這麼說沒錯，但為何只有今年的豆醬走了味呢？」

醬庫尚宮一臉「我也很納悶」的表情嘆了一口氣，既不是雨水滲透了進去，也沒有偷懶讓醬缸少曬太陽，那怎麼會好好的醬味才一天上午就全部變質了呢？高牆圍繞，大鎖重落，門禁森嚴的王宮醬庫斷無人敢來此降災惹禍的可能。

「往後要忙著遮掩的事情還多得很，哪還有時間忙水刺間裏的種種呢？大白天裏醬味變質，釀醬的人也有責任，我會跟上面的人報告這件事，到時會一一追究責任，妳們心裏得先有個底。」

比起擔心豆醬走味，提調尚宮更關心的是要如何才能壓倒最高尚宮的氣勢，反觀最高尚宮卻像早就料到會有這種事情發生似的，只將解決問題視為當務之急，決定先找出醬味變質的原因，再尋求對策，而能夠第一個解決問題的便是真正的勝利者。

韓尚宮和長今首先到製造醬磚的青龍寺去查訪，每年都會送醬磚到醬庫的青龍寺老和尚說，今年這批醬磚的品質比以往都好，還對她們倆大大發了頓脾氣，之後又再三說明今年大豆收成好，所以不僅是材料品質佳，連通風、溫度都完美無缺。從老和尚對醬磚製作的用心或態度來看，都可以確定問題應該不是出在醬磚上頭。

離開了青龍寺，接下來要去的地方是甕村，想不到才剛到村莊入口就聽到一個老人大聲斥責年輕人的聲音。

「你這沒有用的東西！時間不夠，大不了就不要賣，怎麼可以把這種劣質品搬出來！」

「父親，是我錯了，是我太急躁了才會……」

「你這無知的東西！馬上給我滾出去，滾出去！」

老人一把捉起眼前的方木碗就往自己的兒子潑，圍觀的人都自然而然的避開，唯有他兒子不閃不躲的站在原地，就那樣全身被灑滿了釉藥，之後也沒想到要擦拭，反而低頭跪下泣求。

「父親，請您原諒孩兒一次！」

「這裏不需要你了，馬上給我滾！還不快滾，你這臭小子！」

儘管做兒子的再三哀求，老人怒氣依然不消，逕自走進屋內，並關上大門。這時韓尚宮才帶著憐憫的表情，小心的開口問道：

「您犯了什麼大錯，竟然被罵得那麼慘？」

「是因爲朝鮮釉藥做錯了的關係。」

「什麼是朝鮮釉藥啊？」

「是用松木粉、黃豆皮，再混合上好的釉土沉澱後所得的混合物，塗上這種釉藥燒製而成的甕，就像人一樣會呼吸。」

「那您做錯了什麼事呢？」

「自古以來就必須要經過兩個月以上的時間發酵沉澱才可以，可是這次不到兩個月我就把釉藥拿出來用，事情才會變成這樣。」

「這下可怎麼辦！您應該比任何人都還要瞭解令尊的脾氣才對啊，是什麼原因令您如此心急呢？」

「因爲官方不斷的催促，而如果不如期繳貨的話，父親就要受棍杖之苦啊！」

「就算是會那樣，現在您卻因爲釉藥發酵還不到兩個月，而遭父親嚴厲的責罵是吧？」

「是的。」

韓尙宮重重的點了一下頭，也沒說一聲「走吧」就逕自離開了那戶人家。長今爲了要縮短兩人之間逐漸拉開的距離，不得不小跑步向前。

「您不是爲了想要查看是不是甕出了差錯才來這裏的嗎？」

「那妳看了之後還不明白嗎？」韓尙宮以問代答，「即使會受棍杖之苦，但就連上釉藥的部分也不肯馬虎，由此態度看來，那種人有可能會交出有瑕疵的甕嗎？」

聽起來還眞有道理。

在醬磚和甕的部分都沒有發現任何問題的韓尙宮，更加緊腳步的向前趕路，到現在還找不到一點具體的原因，而天色卻已漸漸暗了下來。

離開甕村走了大概半個時辰，放眼望去，只見一株高入雲霄的神木矗立於前，村民正聚集在這棵樹齡超過五百年的杉樹下獻祭。大小模樣各不相同的甕擺得滿滿的，看來是在進行醬祭，村裏稱得上是甕的容器似乎都聚集到這裏來了。

氣氛看起來十分肅穆，似乎要等到莊重費時的祭典完全結束才有可能詢問。杉木在刺骨的冬風裏仍舊枝葉茂密及蓊鬱，幾乎比背景的夜幕更加暗沉的佇立著。在造物主不斷的淬鍊之下，仍然不失驕傲與勇氣的，舉世滔滔，大概也唯有樹木做得到吧。

祭典結束之後，村民三三兩兩的開始離開，韓尙宮馬上快步向前，找了個看起來相當和善的姑娘問起話來。

「我是從王宮來的人，請問爲什麼要把所有的甕都集中到這裏來獻祭呢?」

「偶也不太清楚耶，只知道這裏是釀醬最好的地方啦。」姑娘有著濃厚的口音，不但總是把「我」說成「偶」，而且每句話後頭都會加個尾音。

「您是說全村當中只有這個地方最好嗎？」

「聽說韓參判府上也可以釀出好醬，可是哪有可能把甕放到世族之家去啊，所以有些人就會拿到後面的栗樹家去放囉。」

「爲什麼那些地方的醬味道最好，您聽說過任何理由嗎？」

「這偶怎麼會知道？對偶們來說啊，只要豆醬味道好就夠了呀。反正啦，偶們村裏釀醬最好的地方就是這裏、那裏，還有那邊三個地方啦。」

又向幾個人大略請教了一下，結果都差不多。大家都只知道釀醬最佳的地點，卻不曉得原因何在，而且好像也從沒想過要去瞭解原因的樣子。

「走吧！」

「您要親自過去看嗎？」

「那三個地點一定有什麼共通之處，如果可以找出那個原因的話，或許就可以找到解決第一個問題的線索也說不定。」

「但天色已經暗沉，可能無法看清楚吧。」

「說得也是，還眞是如此啊！」

韓尚宮心情急切，渾然不覺夜幕已然低垂，這時也不禁頹喪的嘆了口氣。當晚投宿於附近的旅店，次日天一亮，兩人又即刻前往韓參判府邸，但是從稍遠處窺看的醬甕台，好像也沒有什麼特別的地方，倒是後方有三株壯觀的紅松，枝葉繁茂，遮天蔽日般的盤據在上頭，下面的眾多醬甕則按照大小整齊的排列。

栗樹家的情況也差不多，只是醬甕的數量更多罷了，看不出其他有什麼特徵。醬甕台緊鄰著籬笆，籬笆又連在山腳下，所以有很多的栗子樹，栗樹家的名稱大概就是這麼來的吧。

這時通往醬甕台的小門剛好打開，裏頭的姑娘拿了個醬碟子走出來。韓尚宮面帶著失禮的表情，對著圍牆那邊大聲叫喊：

「聽說這家的醬味特別好，所以過來瞧瞧。可以讓我嘗嘗豆醬味嗎？」

「請。」

長得清秀可人的小姑娘聲音反倒有些沙啞，她大方舀了滿滿一湯匙往圍牆外遞來，韓尚宮用手指沾了一些放進嘴裏，表情馬上爲之一變。

「和以前醬庫的味道非常類似。」

「那麼這些地方一定有什麼共通的特徵。」

沒法嘗試醬味的長今只好焦躁的咬著唇。再度來到杉木下，醬甕蓋上不知道是忘了收走還是故意擺著，還留有幾個醬碟，韓尚宮又從醬碟裏挖起一點豆醬來嘗嘗看，結果和栗樹家的差不多，味道都好極了。

嘗不出味道的長今什麼都不能做，只能在一旁乾焦急，卻又無所事事，最後只好深吸一口氣，仰望上方，雖一眼透過杉木樹蔭的空隙，望盡其上連綿無際的天空，卻也不愼引發了些許的暈眩，好像被古木的靈氣給震懾住了一般，頭昏腦脹。仔細想了一下，發現這裏還眞是個樹多又茂盛的村莊。無論是韓參判府的紅松，或是栗樹家的栗子樹都長得枝幹粗壯枝葉茂密。

「樹木……樹木……」

「妳在嘀咕什麼啊？」韓尙宮問長今。

「樹木……」長今卻好像沒聽見韓尙宮在問她似的。

「妳一個人在那裏喃喃自語什麼啊？」

「嬤嬤！趕快回宮去。」

韓尙宮眼中雖寫滿不明所以的疑惑，但長今並沒有進一步說明原因，只是逕自邁步往回走。韓尙宮也就不再多問的快步跟上。自己不是一直相信她是個懂得創造美味的孩子嗎？她彷彿想起了什麼似的大步向前走，分明是腦子裏又在轉動著什麼計畫。

崔尙宮和今英早一天回到王宮，她們出去盤查食鹽的品質，回報提調尙宮說使用的是最好的精鹽。王宮裏的用鹽向來透過崔判述購入，雖說不一定絕無問題，但因爲長久以來就一直使用同樣的鹽，所以也不可能是導致醬味變質的原因。

雖然崔尙宮沒法找出醬味變質的原因，卻找來了在王宮外釀製、味道甜美的豆醬，還因此而沾沾自喜，遂用此新找來的豆醬煮了早膳的豆醬湯，吳兼護也剛好在大殿裏。

「濬川司上奏說四山山火頻傳，請求增加禁火司士兵，以防範都城火災於未然。」

濬川司是負責管理都城裏河川與山林的官廳，四山則是環繞都城的四座山，即北面的百岳山，南面的木覓山，東面的駱山和西面的仁王山。

王上本來要喝湯，一聽之下又放下了湯匙。

「什麼？四山山火頻傳？」

「大概是因爲天乾物燥的關係吧。」

一直觀望著王上臉色的提調尙宮馬上趁機插話說：

「醬庫的醬味變質，似乎正顯示諸如此類的不幸事件會常常發生的樣子。」

「可是，難道會因爲豆醬而引發火災嗎？」

「這是民間流傳已久的傳聞，不是嗎？幸好崔尙宮已經找到美味的豆醬，請殿下嘗嘗。」

這才是提調尙宮眞正想說的話，連吳兼護也插了一腳，最高尙宮則在旁默默的看著這齣彆腳戲。

「嗯，醬味非常的好。」

國王放下湯匙，像不經意的隨口說道，光這一句就讓提調尙宮、崔尙宮及吳兼護的臉同時亮了起來。

「但是，還是沒有以前的味道好。」

這下三人的臉上又同時出現頹然失色的表情。

另一方面，長今一回來就翻遍了整個王宮，然後，不知道是否找到了要找的東西，馬上面露喜色的朝韓尙宮跑來。韓尙宮一聽完她所說的，馬上拿了醬碟和湯匙跟著長今跑過去，那兒的醬味果然和以前的完全相同。

「嬤嬤，快快煮了豆醬湯，端給王上享用吧。」

「妳說的這是什麼話？豆醬湯應該由妳去煮才對！」

原本欣喜萬分的長今一聽到這句話，馬上又變得垂頭喪氣。

「嬤嬤！這不是要端給王上享用的豆醬湯嗎？」

「就是這樣，才需要由妳來煮啊！」

「但是，我還沒……」

「不要再說了，妳是我的上饌內人，涼拌野菜和熱湯之類的菜餚本來就該由上饌內人準備，豆醬湯就是妳的第一個任務。」

「在第一場比賽中獲勝不是很重要嗎？」

「妳到現在還缺乏自信嗎？」

沉吟了半晌之後，長今終於應道：「不，我願意做做看。」

端著長今煮的豆醬湯來到大殿上時，發現自提調尙宮以下所有御膳尙宮全都在場。王上依序下箸嘗了蟹殼黃、燉魚鰾牛肉、蘿蔔醬炒牛肉絲和油炸昆布等，連看都不看豆醬湯一眼，只顧著品嘗鯛魚麵。早膳時崔尙宮已經上過豆醬湯了，現在又上，好像有點勉強，但最高尙宮和韓尙宮還是耐著性子不去勸用。冀望懇切的等待能夠換來心誠則靈的願望實現，最後王上終於從啵滾著的豆醬湯裏舀了一湯匙起來，霎時所有尙宮的眼光全部集中到王上的嘴上。

「提調尙宮眞是多慮了，這不就和以前的豆醬湯味道一模一樣嗎？完全沒有走味的樣子。」

雖然是王上的隨口之言，卻是分出第一場比賽勝負的關鍵。對喪失味覺的長今而言，也可以說是她手藝決定性的一刻。這時最高尙宮才開口說話：

「不是那樣，而是韓尙宮已經不辭辛勞的找出醬味變質的原因了。」

「哦，是嗎？說來聽聽。」

國王露出興味盎然的模樣，推開了餐桌，在聽完最高尙宮的說明後，又把吳兼護和御醫召來。

「聽說，醬味會變質是因爲醬庫附近的樹木被砍伐掉的緣故？司饔院提調知道這件事嗎？」

「是的，殿下。因爲司饔院抱怨老是有樹葉掉落到甕罐裏，所以今年初就把附近所有的樹木全砍掉了。」

「可是聽說花粉可讓醬味更加甜美……怎麼樣？寡人想知道御醫的看法。」

「小人對飲食料理並不是很清楚，但似乎有言花粉是很優秀的酵素。明朝的醫書中也曾經指出花粉具有除菌消毒的功效，可用做外敷藥。」

「這就對了，那就該把這個方法推廣給百姓知道。想要享受美食又擁有健康，恐怕再也沒有比這更便利的了。」

「是。」

「最高尙宮說的故事對寡人而言果然是一帖良藥。妳是韓尙宮吧？」

王上突然看向韓尙宮，意外被點名的韓尙宮不禁有點不知失措。

「是的，殿下！」

「眞是了不起。」

漂亮的勝利！而在眾人退出大殿，聚集於司饔院提調勤務室時，最高尙宮又趁機再下一城。

「送到水刺間來的鹽和送到其他燒廚房的鹽品質不同。」

瞬間，吳兼護與崔尙宮緊張得面面相覷。

「是那樣嗎？」

「餅果房、生果房，還有準備殿下及宗親世族用膳的地方……」

「知道了，我會去查查看。」

吳兼護截斷了最高尙宮的話，但這次她卻不肯就此打住，仍繼續追究下去。

「還有，尙磊公公，這陣子送到燒廚房的食材，希望可以由我直接負責檢驗。」

「妳身體不好，可以管那麼多的事情嗎？」

「這次因爲醬味變質的關係，讓我吃了不少苦頭，所以更覺得小地方也不能疏忽才對。」

「知道了，就照妳的意思去做吧。」

一聽到長値內侍欣然允諾，提調尙宮馬上就想開口反對，卻被吳兼護使了個稍安勿躁的眼神，那是在說長値內侍並不是個容易改變心意的人，而且現在也非好時機的意思。

崔尚宮的臉色因而變得更加陰沉。

第十一章　微笑

「喝、喝」的吐納聲如雷鳴般從遠處傳來，士兵們正在田地對面的內禁衛訓練場裏展開如火如荼的訓練。長在一片鮮綠田裏的，是青翠的冬季菘菜，最後一次做菘菜煎餅離開這個地方已是三個月前的事，自創菘菜湯餃的事情也顯得遙遠。只不過隔了一個季節，天地就覆蓋上不同的色彩，這之中發生了許多事，也有許多事都變了，而其中最顯著的變化就是自己的味覺。

韓尚宮一聽到長今所提出，說去見見鄭主簿即回的要求，馬上表示反對。宮女是不被允許接受醫官把脈治療的，更重要的是，這件事關係到對自身與水刺間命運產生影響的比賽結果，在這敏感的時刻，言行舉止都要非常的小心。

韓尚宮還深入的對長今說明，說她的身分是個宮女，按規定宮女是不能接受醫官把脈的，再者，難道非得鄭醫官不可嗎？可是長今卻難得撒嬌似的爲初賽勝利討賞，好不容易才獲得了出宮的休假。

遠遠就認出長今的工人們揮著手，都不再是一副泡在酒缸裏的眼神，曬黑的皮膚和結實的手臂一看就知道個個都很健康。

「該不會是又闖了禍被趕出來的吧？」一名工人對長今開著玩笑說。

「不是啦。鄭雲白大人最近還是一樣天天喝酒嗎？」

「最近不知道專心在做什麼噢，我們也搞不清楚他現在在哪裏。」

「有來茶栽軒嗎？」

「大概有吧，妳慢慢找噢。」

與他們打過招呼後，便開始這裏找找，那裏看看，好不容易才發現了背對她蹲著的鄭雲白。長今突然玩興大起，想要嚇一下鄭雲白，就刻意放輕腳步，悄悄的走過去。

「大人！」

結果嚇了一大跳的人反而是長今，只見轉過身來的鄭雲白，頭上戴著網狀物，不但看不清楚他的表情，還用最快的速度伸手把她的頭壓低，長今即刻像被困住了一樣，這時才聽到了蜜蜂成群結隊嗡嗡飛來的聲音。這種姿態維持了好一陣子後，才又聽到嗡嗡聲逐漸的遠去。

「妳還是跟以前一樣魯莽，一點兒也不小心！」

鄭雲白放開了長今，兩手交互拍了拍袖子。

「您什麼時候開始養蜂來的？」

「不是妳所想的那樣。」

「不然是怎樣？」

「我在研究蜂針是不是比一般的針灸更有效。」

「蜂針也可以治療疾病嗎？」

「旁邊不正好是內禁衛的訓練場嗎？前陣子有個被蜂螫的士兵跑來求救，結果在緊急治療後，我發現了一件奇怪的事情。」

鄭雲白拿下罩在頭上的網子，長今這時才算看清楚了他的眼耳口鼻，發現他連臉色都變好了，還稍微胖了些，而且神色變得清朗，不復見原來頹廢過日的鄭雲白。

「原來蜜蜂剛好就螫在訓練時撞傷的部位，結果第二天起來一看，不僅完全消腫，連疼痛也不見了。本來還為牠螫在重要的血管附近而擔心，神奇的是，最後卻連深受其苦的慢性疾患也一併痊癒了。」

聽來還真是神奇。

「大人，我的味覺喪失了。」

長今正想開口詳細說明情況的時候，周圍突然吵雜起來，內禁衛的士兵一擁而入，閔政浩也在其中。長今和政浩同感訝異與驚喜，兩個人均抬眼對望，但情況混亂，也沒有時間敘舊，當務之急是治療被蜜蜂螫到的士兵。

「鄭主簿是嗎？」

「是的，請問……」

「聽說身為內醫院醫官的您跟士兵說，就算螫到會有點痛，還是要他們到處去找蜂窩。這是眞的嗎？結果您看看，現在被蜜蜂螫傷的士兵可不只一、兩人啊。」

發火的政浩看起來很陌生，雲白也不知道有沒有聽到他的責備，只忙著急救。士兵們被螫的部位均一片紅腫，個個都疼痛難忍的樣子。一般來說，過了一段時間後，紅腫就會漸漸消褪，但對蜂毒過敏的人卻會全身發癢，呼吸困難，甚至引發心臟麻痺因而致死，所以非盡快治療不可。

治療完了的鄭雲白便把方才跟長今說過的話，再跟政浩說了一次。政浩邊聽說明邊點頭，而且一聽完就向鄭雲白道歉。

「我根本不知道箇中曲折，誤會您了。」

「身爲醫生原本就不該隨便亂說，我卻因爲好奇而信口開河，才會造成現在這種情況。」

「不過，蜂針眞的那麼有效嗎？」

「現在還在進行各種試驗，但是……」雲白沉吟著。

「我小時候看過被蜂螫而致死的人，危險性還是有的。」

「我知道，所以請告誡士兵，若聽了個酒鬼大夫的隨興之語，就什麼都照著去做的話，便有走上黃泉路的可能，請務必好好的嚇唬他們。」

政浩聽了一面笑著，一面望向長今，但長今卻只沉溺在自己的難題中，並沒有注意到政浩的眼光。仔細一瞧，政浩才發現長今似乎眼神帶憂，雙頰削瘦，有點令人擔憂。而此時長今正纏著雲白，不知道在哀求什麼。

「不行！」

「大人，拜託讓我試試看。」

「我瞭解妳喪失味覺後心情沮喪，但所謂醫生，就是不能任意行使未經檢驗證實有益，至少也要無害的治療。」

兩人的聲音全都清楚的傳到了政浩的耳裏，一想到喪失味覺對身爲水刺間宮女的她衝擊有多大，他不禁感到一陣心痛。

到底爲什麼要不停的試煉這柔弱可憐的小女子呢？老天爺究竟想要她變得多強，才會老是如此的淬鍊她呢？

政浩邁開其實並不想離去的腳步，走回了訓練場，途中時而聽到雲白拉高聲調，大喊不行。

不管長今如何哀求，一旦說出口的話，雲白不會再有所改變，彷彿變成除了「不行」之外，什麼話都不會講的人一樣。

「妳說是因爲吃了人蔘和肉荳蔻油才喪失了味覺，那我無論如何一定會盡力爲妳找到治療的方法，妳就不要再那麼可憐兮兮的哀求我了。回去吧！我只要看到妳，就一肚子煩惱。」

長今只要看到雲白，就像看到哥哥一樣，覺得很安心；但他卻說只要看到自己就一肚子煩惱，不禁令她意志消沉，才轉過身，眼淚便一顆顆的滴落下來。

回程時的心情，也和初秋黃昏時的景致一樣蕭瑟悲涼，沿著山稜線無限延伸的蘆花如波浪般晃動著，那隨風搖曳的蘆花枝桿，看在長今眼裏，好像也全是不行、不行的手勢一樣，驀然在蘆花的浪潮裏，突見政浩深藍色衣襬也在其中飛揚著。

「我在等妳。」

長今的眼淚又要掉下來了，只好將視線轉望遙遠的天際，夕陽西下，晚霞滿天。

「我一個人回去好像有點孤單，所以一面欣賞日落，一面等妳。」

夕陽也照得政浩的臉上泛起了一陣紅光。如果始終有條路、有個人在等著自己一同回去，那該有多好啊。但前途未卜，眼前這個人要走的路也和自己不同。

「唐朝時候，曾有個樂工耳朵聾了。」

政浩不知爲什麼突然說起了耳聾樂工的故事，那個樂工與宮女喪失味覺境遇相同……

「一個樂工喪失了聽覺，心情當然是沮喪到極點，於是遍訪天下所有可稱爲醫生的人，也接受了所有據稱有效的治療。」

「結果，他又重新聽得到了嗎？」

「不，據說他反而成了天下第一名醫，而臨終之前重新彈奏擱置已久的樂器時，那樂聲據聞也是天下第一。」

意思是說，他因爲久病，在遍訪天下名醫接受各種治療的過程中，反而成爲良醫嗎？

「這個故事似乎沒法給妳什麼安慰，只希望妳絕對不要失去勇氣。」

話說完後，政浩又好像有點害羞，只是笑著，長今也跟著笑了。

「這個眞是……碰上好事的時候，再怎麼不會說話，說出來的話也會變成好話；但是一旦發生不好的事，想說些得體的話就難了。像我如果跟妳說，一切都會沒事的，似乎太空泛，缺乏誠意；可是若要說糟透了，又好像在開玩笑一般……」

長今只是默默地聽著，心底卻有衝動屢想脫口而出說：只要你在我身邊，就是我最大的安慰……

夕陽西下，天色漸漸灰暗起來，夜馬上就要降臨，原本依稀可見的小路也漸漸被黑暗所吞噬。雖然現在政浩陪在身邊，但未來要走的味盲之路，又有誰能結伴同行？長今帶著茫然若失的心情凝望著逐漸擴散開來的夜色。

分手前，政浩特地進校書閣去拿了幾本醫書出來交給長今。回來後打開一看，才發現在其中一本的第一頁裏夾著一張紙條。

小杏難舉地（銀杏雖小，掙出新芽亦非易事）
孤竹藏辛屯（單一孤竹，猶自珍惜著綠色枝葉）
輕陰瞥重耳（輕快的身影，只是一時沉重）
落日自黃昏（唯太陽西下，方能成就美景）

儘管明白他想鼓勵自己的心意，但此刻的長今卻連在那首詩中也讀到了絕望感，強解成政浩是在勸她，如同失去聽覺後，樂工以醫術展開新人生一般，既然她已經失去了味覺，那就乾脆追求另一個人生目標算了。即使太陽西下，黃昏的景致依然美麗，就像喪失或許正代表另一個希望的延續也說不定。問題是長今現在還不想放棄這個希望，就算前方有其他某種輝煌的人生等待著，但她對目前這幾乎僅存一線希望的難過情勢，卻更加的珍惜，分外想成爲水刺間最高尙宮。

又快到每年比賽創意新菜的日子，這是利用既有的材料，創造出前所未有的新料理的測試，也是水刺間內人們必須通過的考驗之一。這次最高尙宮不但把審查創意新菜的責任交給了崔尙宮和韓尙宮，並決定以兩人的上饌內人所做的菜餚作爲第二回合比賽的結果，雖說所有的內人都必須參加這項比賽，但對於長今與今英而言，則又多添了一項更加重大的課題與負擔。

四處尋找新菜食材的令路偶然間看到了醫女施然從長今的房裏出來，不禁眼睛一亮，隨後便向今英提起了這件事，而在聽過今英的轉述後，崔尙宮又馬上去找醫女。

「因爲她喪失了味覺，不過現在已在慢慢的恢復當中。」

被追問的醫女原本是想隨便幾句話敷衍過去，卻不知道自己在話裏洩露了最重要的祕密。從此崔尙宮差遣令路監視長今，令路於是將長今的一舉手、一投足全都鉅細靡遺的報告上去，既偷看韓尙宮傳授長今獨門手藝的情況，也趁沒人在的時候，跑進長今的房間偷偷抄那些堆在一旁的醫書書名。創意新菜比賽日，就在崔尚宮處心積慮布下陷阱，等著長今跳下去的當口來臨。

水刺間前的廣場上擺著又高又長的桌子，內人們站在自己創作的菜餚前面，個個神情緊張，崔尚宮與韓尚宮開始輪流品嘗各色新菜。連生做的是人蔘山藥冷盤。

「放了山藥嗎？」

「是的，氣血衰弱時，食用山藥是很好的。」

「沒錯，所以山藥一直被用來滋補養身，連生吃也可幫助消化，非常適合用做冷盤材料。」

「確實是如此沒錯吧？嬤嬤，眞的是這樣對不對？」連生只要一開心，說話就有點隨便。

今英用菘菜做了石首魚醬汁泡菜，昌伊做了蜜汁胡桃，令路則準備了雉雞肉片，唯有長今面前看不到菜餚，只放著一節竹筒。

崔尚宮瞠目問道：「這是什麼？」

「竹筒飯。」

「什麼叫做竹筒飯？」

「竹子內皮稱爲竹黃，是很貴重的藥材。將米穀放進有竹黃的竹筒裏蒸熟，竹子珍貴的竹黃便會融入米飯中，成爲香甜美味的竹筒飯。」

崔尚宮試了幾口竹筒飯，內心驚訝不已，但表面上仍裝著沒啥稀奇的樣子隨口說了一句：「嗯，還不錯。」

韓尚宮一夾飯放進口裏，馬上感受到這道菜的創意，隱然的香氣，甘甜爽口的味道，絕對有成爲優勝創意的實力。相較之下今英的石首魚醬汁泡菜雖也散發出清爽風味，堪稱逸品，但比起長今的竹筒飯就是略遜一籌。

韓尚宮的臉上帶著淡淡的微笑，然而就在要評定優勝的一刻，崔尚宮突然發出令人料想不到的提議。

「現在妳們各自嘗嘗身旁同儕所做的菜，再說出自己的評論。」

長今聞言大吃一驚，立即望向韓尚宮，韓尚宮也有點驚惶失措，不禁緊盯住著崔尚宮的嘴角，揣想著她還會蹦出什麼出人意表的話來。

「最高尚宮嬤嬤平日總是說，每個人的手藝都各有特色，實在很難做出高下評斷，所以，怎麼能只靠我一個人的口味來斷定呢？妳們就互相交換，評論一下對方的味道吧。」

這根本就是利用最高尚宮平日公平正直的行事風格所提出的點子，不然崔尚宮哪裏說得出什麼大家的口味評鑑皆平等之類的話來。但只要她有心想捉住任何機會說出這樣的話，那麼長今就算避得了一時，也避不了一世。

就在長今和韓尚宮面面相覷不知所措之際，令路已用最快的速度把自己的菜餚和長今的互換，長今在完全沒有預料到的情況下，也只好硬著頭皮嚼起令路的雉雞肉片，腦裏飛快的想像雉雞肉該是什麼味道。

「雉雞肉的清淡搭配麥芽糖漿的甜味，再加上了醬油，使得所有的味道獲得完美的協調，非常好。」

爲了那個必須針對自己吃到的東西發表評論的命令，長今只好結結巴巴的費力編排，一聽說說完，崔尚宮馬上翹起一邊嘴角冷笑。

「是嗎？」一副「妳已經跑不掉了」的表情。

接著崔尚宮走到最高尚宮前面，卻又說出了令人意想不到的意見。

「長今的竹筒飯是所有料理當中最好的。」

最高尚宮暗忖崔尚宮到底想做什麼，便故意附和她的話說：「哦，是這樣嗎？」

「是的。在竹筒裏放入白米、栗子和大棗一同蒸煮，可說是把美味發揮到極至。」她頓了一下再說：「但是，嬤嬤。」

「但是什麼？」最高尚宮一副早知如此的樣子。

「聽說長今好像完全喪失了味覺啊！」

「妳說什麼？那怎麼可能？」最高尚宮反問，一旁的韓尚宮則是一臉慘白，連下顎都控制不住的顫抖起來。

在把長今叫來的空檔，崔尚宮已經做好了所有測試她味覺的準備，因此等到長今到場的時候，大小及模樣全都相同的三碗水已經擺放在桌上。

「放在妳面前的三碗水裏各自摻了鹽、糖和醋。雖然量都很少，但只要是水刺間的內人，無論是誰，應該都分辨得出來，妳就來分辨看看吧。」

清楚自己狀況的長今閉上眼睛，心中開始浮現不祥的預感，其實從必須品嘗令路的雉雞肉片起，就一直沒法擺脫不安的情緒。

長今看著面前不論顏色或分量都完全一樣的三碗水，想要分辨它們之間的不同，在這世上僅有一種方法，那就是人的舌頭，除此以外，別無二法，但那也僅限於沒有失去味覺的舌頭啊。

無法躲避也無從逃脫，除了硬著頭皮上陣之外已沒有其他的辦法。長今唯有端起其中一碗水來用舌頭舔了一下。最高尚宮嚥了一口口水，用乾澀的聲音問道：

「是什麼水啊？」

長今掙扎著說出口：「……糖，是糖水。」

長今同樣嘗了另外兩碗水，也幾乎一樣用猜的隨意回答。

「夠了，其實三個碗裏的水全都是一般的清水，妳現在可以出去了。」

長今霎時像破滅的泡沫般，整個人變得好小、好小。韓尙宮也只能惋惜的目送她垂頭喪氣兼全身無力的往外走。

「嬤嬤，喪失味覺的事雖然是眞的，但長今也的確具備了創造美味的才能啊！」

「這麼說，韓尙宮也知情囉。」崔尙宮進一步說。

「我可以負責訓練她。」

「這可關係到殿下的御膳啊！如何能將此等大事交付給一個喪失了味覺的宮女呢？」

「即使是喪失了味覺，但是到現在爲止，長今還是表現得比其他內人好，不是嗎？找出醬味變質原因的是長今，烹煮出讓王上滿意的豆醬湯的人，也是長今啊。」

「根本就是瞎貓碰上了死耗子，湊巧而已。」

「不，如果是長今，就一定做得到。我說過她是懂得創造美味的孩子啊！」

「哼！」崔尙宮冷笑道，「說什麼創造美味？事到如今，還想狡辯？」

「崔尙宮不是也說竹筒飯是最獨特的嗎？」

「所謂的竹筒飯就是不用調味的飯，不是嗎？」

「長今做得到的，她到現在爲止都做得很好，將來也一定可以繼續保持下去。只要我好好的教她，不管是哪種料理，長今一定都做得出來。」

「妳說不管哪種料理都做得出來是吧？那好。」

崔尚宮轉身面對最高尚宮說道：「嬤嬤，那就請您說說這次貢品當中有一件不知該如何料理的鯨魚肉一事吧？」

「對啊，確實是有這麼回事。」

「連待令熟手們也都說第一次碰到要料理鯨魚肉時，不知道該如何是好。要是長今知道如何料理鯨魚肉的話，我就二話不說的接受她。如果她眞的像韓尚宮所說，是連從來沒吃過的東西，都能創造成美味的料理，那麼鯨魚肉應該難不倒她。」

無論是最高尚宮或韓尚宮，都無法一口答應下來，崔尚宮因而更加趾高氣揚，逼迫處於劣勢的她們倆。

「不過如果無法做出美味的料理的話，那不僅是長今，連公私不分的韓尚宮也要一併問罪。怎麼樣啊？」

已經沒有選擇的餘地了。

「知道了，就這麼辦。韓尚宮妳也聽到了吧？」

最高尚宮對著韓尚宮的問話中也隱含了爲什麼不早點告知的埋怨與責怪。

聽到消息的長今，立刻就去找鄭雲白。

「不是跟妳說過不行了嗎？」

「反正總是要有人當試驗品的，不是嗎？」

「但那個人爲什麼一定就要是妳呢？」

「是不一定非得是我不可，但，您應該想幸好是我才對，因爲不管結果是好是壞，我都絕不會怪您。」

「我才不怕妳怪我，我怕的是妳會出意外，我最怕的就是生病的人來找我治療，反而惡化，甚至出事啊！」

「我不會有事的。」

「妳看看妳，就是這麼冒失，經常讓妳陷入危險困境的，不就是這分冒失嗎？」

「但促使我不斷向前邁進的，也總是這分冒失啊！」

「妳就這麼想一輩子爲王上準備御膳，甚至連命都可以不要？」

「這不是爲了王上的御膳，而是爲了我自己。」

「也可能會沒命的啊！再者，又不是以我自己的手來爲妳扎針，而是由蜜蜂來螫。妳怎麼知道牠們會螫在哪？怎麼螫呢？」

於是長今提出了一個建議，雲白聽後雖仔細考慮，卻還是不斷懷疑可行性。等四處詢問過後，才終於下定決心，接受了長今的這個建議。那就是不讓蜜蜂直接螫刺，而是先用夾子把蜜蜂的尾針拔下來，再由雲白扎針。

雲白仔細分辨出滿布末梢神經的血管，再小心的扎針，等針灸一完，便丟過來一包藥斜睨長今。用心扎針時的專注模樣已不復見，又恢復成原先受不了長今的眼神。

「若有呼吸急促或全身癢得無法忍受的時候，就把這藥給吃了。那是可解蜂毒的湯藥。」

「可解蜂毒的話，不會抵銷蜂針的效果嗎？」

「死丫頭！那麼妳是打算就算不能呼吸，快要死了，也要硬撐下去的意思囉？」

「沒，沒啦。我會吃，一定會吃。」

雷鳴般的吼聲讓長今嚇了一大跳，趕緊收好藥包，踺踺的邊跑邊大聲喊：

「大人，謝謝您，同時也請原諒我的任性。」

「少說這些甜言蜜語！好像有蟲爬過我背脊梁一樣，噁心死了！」

然而長今終究沒有遵守與雲白的約定，即使全身都發癢腫脹了，仍咬緊牙關忍耐，就是不肯碰那包藥。對於倔強頑固的自己，長今有時也覺得有點受不了，然而就是要頑強才能生存下去，柔弱是一種罪啊！弱者不僅會害了自己，也會害了別人，這就是她身爲宮女在王宮裏的生存之道。

長今一聽到德九來到了廚師料理間，馬上飛奔而去，心想對於鯨魚肉或許他會知道一些什麼也不一定。到了之後發現德九正打開灶蓋，放進空牛肚，再撒上加了打散的蛋汁，然後拉出一個血淋淋的東西。

「德九叔，這是什麼啊？」

「膽囊啊！聽說如果吃了非常苦的東西，就可以恢復味覺，所以我才特地去找來要給妳吃的。」

長今聽了好感動。「等一下，等一下一定吃吃看。對了，德九叔，您知道鯨魚肉的味道嗎？」

「知道，當然知道啊，話說那是我去東海時候的事。搭船航行在海上，突然碰到房子般大小的鯨魚，那怪物竟想連船帶人，把我們全吞下去，嘴巴張得大大的……反正不是普通的魚類啦。」

「那您吃過鯨魚肉嗎？」

「當然吃過。我就是沒被那怪物吃掉，現在才能站在這裏，不是嗎？味道嘛……有點像魚肉，也有點像一般的肉類，認眞說起來，每個部分的味道都不一樣，算算大概有十二種味道之多噢。要講主要味道的話，該怎麼形容呢？嗯，那個啊……」

「若以一般的肉來類比的話，是像牛肉的味道嗎？」

「不完全是，不過也很類似就對了。嗯，非常類似。」德九像在說服自己似的再三強調。

這時，長値內侍正好走進來聽到，毫不客氣的馬上就兜頭潑了盆冷水。

「還有什麼東西是你沒吃過的呀？你這滿嘴胡說八道的東西！什麼活了五十年的鰻魚，活了五百年的白蛇，活了千年的野山蔘……就是有你這種滿肚子壞點子的侍令熟手，我的養子才會到現在還病著，你這該死的傢伙！」

雖然當時的誤會已經解開，但捉不著德九把柄的長値內侍，仍恨他恨得牙癢癢的。長今趕緊把膽囊包好，說要走了。德九則把握機會，在她耳邊小聲的說：

「長今啊，眞的是像牛肉的味道，妳聽我的準沒錯。」

另一方面，崔尙宮也從吳兼護手中拿到了她兄長要求代轉的鯨魚肉料理法。

「不只是水刺間，連燒廚房的用鹽也改送最高級的了。原本認定會是個傀儡，才任命她爲最高尚宮的呀，結果看看現在成了什麼樣子！」

「再請忍耐一下吧，她還沾沾自喜，不知道是在自掘魂墓呢，要除掉她不過是時間的問題而已。」

「這次就從那像根眼中刺一般的孩子徐長今開始下手鏟除吧。」

「那有什麼問題。」

崔尙宮自信滿滿的認爲第二回合的勝利打從一開始就已經掌握在手裏了。工人把鯨魚肉抬進來時，水刺間所有的人都跑出來看，而長今一看就洩了氣，韓尙宮也發出嘆息聲。和事先看過料理法，並研究好這次烹煮方式的崔尙宮那邊比起來，她們這邊可說是完全一無所知。

工人們放下魚肉離開後，最高尙宮就站了出來。

「這是從遙遠的大海捕獲上來進貢的鯨魚肉，不只是平時不容易捕獲到的魚類，就連宮中也從來沒人料理過這道菜餚或嘗過味道。做火鍋和燉肉是上饌內人的責任，長今和今英就試著做做看吧。」

命令才剛下完，崔尙宮和今英就開始動手。長今卻只是茫然的盯著鯨魚肉看，後來想想至少也得弄清楚生肉是什麼味道，就撕了一點下來放進嘴裏慢慢的嚼，並往四處瞄了一下。韓尙宮看到她那樣子，不禁也跟著四處看了看。

但總不能一直都這樣，什麼也不做吧？轉眼間長今已捲起了袖子，開始處理派發下來的材料，行雲流水般的動作，看來彷如一幅畫，韓尙宮也就放下擔憂，專心凝視著自己眼前的鯨魚肉。

終於兩方都做好料理，因爲是聽也沒聽過、看也沒看過的東西，於是最高尙宮先行嘗了味道。韓尙宮的吃起來像是牲畜肉品的味道，崔尙宮的也是如此，只是多加了調味料進去而已。

「雖是從海裏捕獲的魚肉，肉質嘗起來卻像牛肉一樣多筋呢。」

「是的。但終究與牛肉不同，帶有魚腥味，所以我們加了許多的調味料。再者因含油量和鯖魚差不多，麻油只放了少許。」

「嗯，的確沒什麼魚腥味，多筋的肉質加進梨汁後，也就不像生牛肉薄片了呢。」

最高尙宮毫不吝惜的給予稱讚，又轉而品嘗令英面前的燉肉。

「嗯，燉肉的味道也好極了。」

長今做的是串燒，嘗過味道後的最高尙宮側頭想了一下，突然不叫雙方撤下盤子，反而命令她們馬上將這新口味上呈大殿。整個水刺間立時充斥著緊張與不安，現在就只能靜待最後的結果出來了。

從大殿回來後，最高尙宮立刻叫水刺間所有人員到食膳閣聚集，爲的是要讓大家利用剩下的鯨魚肉試煮菜餚，然後一起品嘗，一掃方才緊張的氣氛。

「你們能用從未烹調過的材料做出如此佳餚，實在感謝。特別是長今做的鯨肉串燒，王上在享用之後，覺得很滿足，大爲讚賞。」

這裏、那裏，到處都傳出了讚嘆的聲音，長今高興得不知如何是好。一同到大殿去的韓尙宮與崔尙宮臉上倒讀不出任何表情，只有今英的眼神黯淡。

「鯨魚肉是全新的食材，大家都來嘗嘗看味道吧。」

大夥兒都想嘗嘗鯨魚肉，便全伸長了手去拿，現場一片喧鬧。等不安的心情稍微鎮定下來以後，長今也撕一塊放進嘴裏，嚼一下，再一下，臉上的表情跟著咀嚼千變萬化，僵硬的肌肉整個放鬆下來，連微笑也悄悄浮上了臉，連生向著這樣的長今豎起大拇指。

「長今，妳眞是天才，是天才啊！」

站在對面的今英聽了這句話後臉色大變，崔尙宮就選在這個時候挺身而出。

「嬤嬤，我輸了。」

這話讓大夥兒全暫停了咀嚼，不曉得那是什麼意思，視線全都集中到崔尙宮的身上。

「第一次看到，長今竟然就能把鯨魚肉做成這般美味的佳餚，實在是不簡單，更何況還是個喪失味覺的孩子呢，眞是看不出來，是不是？」

現場再度陷入混亂，這是長今喪失味覺的事首度被公開揭穿出來。

「長今啊，喪失了味覺還做得出這種程度的菜餚，妳眞是厲害透了。」

「其實並不是那樣……」

「可是啊，嬤嬤！水刺間可不是只要料理做得好就能待的地方。儘管很幸運的，到目前爲止都沒有出什麼大問題，但以後每逢長今做菜的時候，大夥兒可都要提心吊膽了呀！長今的才能無從發揮，我也覺得很可惜，但在恢復味覺之前，我看長今還是先離開水刺間比較好。」

「到目前爲止都沒出任何事，如果現在硬要以根本還沒發生的事情把她趕走，豈非於理不合？」

「如果您眞的覺得我的提議不妥，那就該在大家面前再測試一次才對。」

「測試什麼？」

最高尙宮眼含狼狽及不忍的看著長今，長今則回以「我願意試試看」的眼神，最高尙宮挑了挑眉毛，似乎在反問她眞的可以嗎？長今則眨了眨眼睛表示可以。

「知道了，就這麼辦吧。在崔尙宮準備的時候，妳們繼續吃。」

然而現在所有人關注的焦點已經都轉移到長今喪失味覺這件事上去了，從怎麼會變成如此的擔心，到口是心非的問候，各式各樣的詢問如潮水般湧來。這麼一來，長今原本想悄悄告訴韓尚宮的要事，也只好先吞回肚子裏去了！

工人們將五個圓缸抬進來後就出去了，每個圓缸前面各放了一個小碟子，裏面全盛著濾過漬料後的蝦醬漬汁。

「因爲剛好想起來現在正排到要學習蝦醬的課程，所以就先準備好了。」

說什麼剛好想起來正要學習的課程之類的話，全都是藉口，要分辨出濾過後只剩下漬汁的蝦醬，就連是對味覺完好的內人們來說，都不是件容易的事。但長今一句廢話也無，直接出列走到五個小碟子前面，而且立刻用手指沾了第一個小碟子裏的漬汁嚐了嚐，完全不用多加考慮似的，充滿自信的說出答案。

「這是五月潮蝦醬。」

「怎麼判定是五月潮蝦醬？」

「五月潮蝦醬是只使用五月大潮時所捕獲的蝦子，剛長肉的蝦子不但色澤紅潤，而且味道甜美。」

最高尙宮示意，崔尙宮打開圓缸的蓋子，正是五月潮蝦醬。說對一次或許是出於幸運的瞎矇，所以崔尙宮臉上暫時也不見太大的反應。

「嘗嘗下一碟。」

「這是在六月漬釀的六月漬蝦醬，和其他蝦醬相比，味道比較鹹，也比較香。另外因蝦肉嚼起來相當可口，所以又常用來作餐桌上的小菜。」

這次又對了，崔尙宮開始有點不安起來。

「下一碟呢？」

「這是秋天捕獲漬釀的蝦醬，所以稱爲秋蝦醬，蝦身較小，蝦殼較薄，味道較淡而香，一般常用在涼拌和冬漬泡菜上，或者代替淡味醬油使用。」

連雪花蝦醬和紅肉蝦醬，長今也都以令人讚嘆的方式全部說對。

崔尙宮不禁搖著頭，一副無法置信的樣子。

最高尙宮安心下來，但也覺得太不可思議了，於是忍不住問道：「長今啊，妳不是喪失了味覺嗎？」

「應該早點跟您報告的……事實上，我的味覺已經恢復了。」

「是嗎？那眞的太好了。」

最高尙宮控制了嘈雜的現場，要大家安靜以後，才繼續說下去：

「大家聽好！長今會喪失味覺是爲了要治療太子殿下的麻痺症狀，親自食用人蔘和肉荳蔻油所導致的。料理御膳的人無法迴避危險，反而以身試險，冒失之處不可說沒有，卻也無法因此而責怪她。我們是一群同甘共苦、甚至是同生共命的宮女，卻到此刻才總算分擔到一些長今之前一直獨忍的痛苦，將來，比起犯錯就趕出宮去的做法，我想我會選擇互相扶持、同舟共濟。」

此時現場一片肅穆無聲，崔尚宮只是一個勁兒的瞪住蝦醬碟子看，充滿了憤恨的眼神，彷彿隨時都會忍不住尖叫出聲，而碟子則會被她瞪得裂成兩半似的。在所有內人及生角侍齊聚一堂的時候，當場受到這樣的羞辱，也難怪她會出現這樣的反應。

大夥散了之後，長今馬上跑去找雲白，告訴他自己的味覺恢復了。本來以爲雲白會大爲高興，想不到他只關心蜂針的效果，並且面無表情的說，眞要謝的話，就提一罈酒來吧。

在長今回宮的路上，出現了內禁衛訓練場，讓她暫時停了腳步，心想除卻平常那些應酬話之外，難道就沒有一些比較特殊、可以表現誠意的東西嗎？長今一邊想，一邊加快了腳步。

回到處所，發現連生正等在裏頭。

「妳到哪裏去了，現在才回來？」

「噢，是去謝謝幫忙我恢復味覺的人。」
「這件事爲什麼妳連一字半句都沒跟我說過呢？」
「那是因爲當時眼前一片黑暗的關係……」
「就是那樣，妳才更應該要說啊。我可以陪妳一起走進黑暗中……」
「若把妳也一起拖進絕望裏去的話，我可能會更加痛苦。」
「原來我對妳一點幫助也沒有啊。」
「只要妳在我身邊，就是對我最大的幫助了。」
連生感動得熱淚盈眶，馬上躲進被子裏去掉眼淚，長今自己也忍不住鼻酸，不過爲了緩和氣氛，仍收起害羞的心情，特意環視了房裏一周，驟見堆在一角的醫書。
「有一位我非常感激的人，想送他一份小禮物……妳說送什麼比較合適呢？」
「嗯……衣料如何？或送流蘇吊飾？」
「呃，他好像不太會用那類的東西。」
「那米呢？」連生想起最實用的。
「也有點……」長今不好意思明說不好，只好含糊其詞。
「那把妳的心意送給他好了。」

「心意怎麼送？」

「最高尚宮嬤嬤不是說烹調的時候一定要用心嗎？所以，妳只要做點吃的送去，不就表達了心意了。」

「妳說得對！妳果然是我最好的朋友。」

長今馬上跑出去，開始準備幾樣小點心。雖是平常就常做的事，但這卻是首度特定爲一個自己認識的人，細心準備的東西。長今做著要送給政浩的禮物，不再戒愼與恐懼，取而代之的唯有單純的忙碌，終於瞭解何謂用「心」做食物。

「妳沒來，我也正打算派一名士兵過去找妳。」

匆匆跑來的政浩一口氣說完這句話後，暫停先緩一下。

「透過認識的人介紹了一位有名的醫生，我跟他提了徐內人的事情，他說有希望治好。」

「讓大人爲我擔憂了，託您的福，我現在已經全好了。」

「眞的嗎？啊！眞是天大的好消息，聽了都爲妳高興。恭喜妳了，前陣子妳也實在承擔太多痛苦了。」

「是的，託了以前就認識的茶栽軒鄭主簿大人的福，讓他以蜂針螫刺才好的。」

「那就更要好好的恭喜妳了。」

「對了，我來是想要歸還您上回借給我的那些醫書，還有……」

長今有點羞赧及躊躇的將準備好的包裹遞過去，一張臉比起外包的紅色絹布還要紅，只覺雙頰火熱。

「之前老是麻煩大人，眞是羞愧，所以準備了一些小點心，還望大人別嫌棄。」

「我又沒幫什麼忙，妳怎麼那麼客氣。」

「不，您借我書，又安慰我，給我建言……那些都給了我莫大的力量。我有一個願望，就是希望品嘗我做的東西的人，臉上可以一直都帶著笑容。」

「原來如此。武藝是爲了傷害別人才勤加練習；飲食卻是爲了讓別人快樂才做出來的啊。」

「希望我小小的心願，也能透過這些小點心傳達給大人。」

不管是受禮的政浩還是送禮的長今，兩人都不敢正視對方的臉，長今像逃跑似的離開那個地方，政浩也呆愣著連感激的話都忘了說。

回到內禁衛，打開包裹的布巾一看，發現裏面裝滿了各色小點心：糖栗、糖棗和顏色鮮嫩欲滴的甜棗果。政浩一個也捨不得吃，只愣愣得看了良久，彷彿光只是看，就能感受到幸福的滋味似的。

「我有一個願望，就是希望品嘗我做的東西的人臉上可以一直都帶著笑容。」

腦中浮想長今說的話，過了會兒才珍而重之的拈起一粒甜栗果放進嘴裏，都還沒開始嚼呢，臉上已經泛開了笑容。想起把小點心遞過來時，臉上滿布紅潮的長今，政浩臉上的笑容就更加燦爛了。

韓尙宮一大早接獲從內侍府傳來的旨意，隨即趕往勤務室，只見最高尙宮難得的晏起，才正坐在鏡子前梳理頭髮。髮髻散開的最高尙宮看起來就是一副垂垂老矣的老嫗模樣，終於承認這個事實讓韓尙宮的心裏起了一陣悸動，甚至忘了本來要出口的詢問，光愣在一旁出不了聲。

比起她們這些參賽者，最高尙宮其實花了更多的心思，或許是因爲如此，才會一下子就顯老了吧。

「有什麼事嗎？」過了一會兒，最高尙宮終於開口問。

「嗯，」韓尙宮略微沉吟了一下。「內侍府要求選一位水刺間的內人，分派到雲巖寺去。」

「怎麼回事？」

「曹尙宮嬤嬤在那兒療養，需要一名侍從內人。」

「曹尙宮嬤嬤不是跟著王后娘娘從娘家一起過來的保母尙宮嗎？難怪王后娘娘

最近看來總是十分擔心的樣子。水刺間因爲妳們要比賽的關係，人手正不足；就從生果房或餅果房的內人中挑一個吧！妳心目中有合適的孩子嗎？」

在韓尚宮考慮適當的人選，腦子不停轉動的時候，長值內侍進來了。

「妳也聽說了嗎？」

根本沒有聽說任何消息，長值內侍卻直接找到勤務室來，暫且不論好壞，可確定的是必然發生了大事。

最高尚宮心中已有了底，便開口問道：「發生了什麼事？」

「提調尚宮向太后娘娘抱怨，說以比賽的方式，讓王上來決定由誰擔任最高尚宮是不對的。」

「眞的嗎？眞是的，都已經進行到這樣了才說那些話……」

「從事情發展的情勢看來，應該對妳較爲不利，不過聽說長今的味覺已經恢復了啊。」

因爲對此無可奈何的變化不知道該說些什麼，兩位尚宮原本張開的嘴都閉上了。一路辛苦奮戰，好不容易才有了今天的成果，這下一切又得回到原點。兩人的心情都一樣沮喪，有著渾身虛脫的感覺。從來都不知道要與那些爲達目的，不擇手段的人堂堂正正的對決竟然是如此辛苦的事情，本以爲頂多只是道路布滿荊棘，因此一直小心的步步爲營，誰曉得對方仍不滿足於只走捷徑，同時不忘使出卑鄙的手段，立意要遙遙領先。

太后對於由王上直接來選拔水刺間最高尚宮一事甚爲不滿，爲此還責備了晨來問安的王上，爲了消弭母親心中的不滿，孝順的王上馴良的接受了母親的責怪，卻也不就此作罷，反而請求改由太后親自來選拔。這件事本身就很有意思，加上又是選拔引領百姓飲食的水刺間最高尚宮，王上交託給太后的也可說是一項重責大任。

因此，比賽又進入一個全新的局面，決定從太子的生辰開始，舉行三場比賽，由太后決定勝負。

崔尙宮的臉上浮現志得意滿的微笑，這樣不僅一舉扭轉原本已不利於己方的走向，而且還拉攏了對崔氏一族向來友好的太后，幾乎已等於是穩操勝算。再者，仍以比賽的方式進行，也能贏得名正言順，眞可謂錦上添花。

最高尙宮與韓尙宮當然都非常的失望，不過之前所做的一切也不能說毫無影響，勉強也能安慰一下自己了。

當初計畫要盛大的舉行，連宴會用的食材都賜下來了。現在卻又諭令改成簡單的飯、湯、菜各一。這是因爲夏天梅雨季之後緊跟著大旱，百姓生活苦不堪言，太子生日哪能再弄什麼山珍海味，只怕會惹得王上大怒。

太后也接納王上的意見，下達新的主題，要她們特別去找之前不知該如何處理，經常丟棄或置之不用的東西來做爲材料，做出可供食用的料理。

而那麼巧，就在長今去找可資利用的材料時，政浩突然接獲命令，要他爲王后在山裏療養的保母尙宮，護送待令熟手和醫官各一位過去，此刻就必須離開王宮。

護送醫官鄭潤壽與待令熟手姜德九前往雲巖寺一事，由內禁衛從事官閔政浩負責，保母尙宮療養的地方附近正好有成均館的學田，最近那裏的人蔘收成量銳減，所以內禁衛長便下令政浩順道過去查看有否問題。

政浩因爲想跟長今說一聲，特地過去找她，卻聽到長今出宮不在，自然覺得非常失望。自己此行的目的地甚遠，來回就要去掉四、五天，再加上要隱密調查那件事，就更不確定需要花費多久的時間了。一想到可能會有月餘無法見到長今，心裏竟然已開始思念起她。

「唉，怎麼會……」

對於這樣的心情，自己都覺得陌生，羞澀不知所以的政浩，也只能假咳幾聲來掩飾紊亂的內心了。

長今對韓尙宮說要熬煮大骨湯看看，雖然不是宮中常見的飲食，但對百姓而言，卻可以代替肉食填飽肚子，補充消耗掉的氣力，而且營養豐富，算是民間深受歡迎的一道飲食。韓尚宮認可了這項提議，告訴長今可到司饔院去領取食材，但她卻堅持要用最好的牛骨而出宮到肉舖去尋找了。韓尚宮說服不了她，只好先回處所，正好看到今英從司饔院領回雜骨，已在用心熬煮，不知爲何，心裏始終覺得不安。

熬煮大骨湯需要一定的時間，長今卻直到深夜都還沒有回來，好不容易到天快亮的時候才等到她人，聽她說一路跑到白丁村去，也找到了好材料，但韓尚宮的憂心卻更深一層，在一旁看著的連生終於忍不住開口說話：

「可是大骨湯要好吃，相對於材料的品質，熬煮的時間更加重要啊！」

「不要擔心，我自有辦法。熬煮大骨湯爲什麼總需要大約四天的時間呢？爲的就是要撇清油脂，所以必須冷卻、凝固，撇清，再煮沸、冷卻，凝固，再撇清的關係。其實只要在煮沸的湯裏放進棉紙，就可以把油脂吸盡，所以沒關係，不用擔心啦。」

長今似乎自信過了頭，在喪失過的味覺重新恢復以後，變得意氣飛揚，讓韓尚宮看了更覺得不安。不過她知道現在不論自己說什麼，長今可能都聽不進去，只有按捺住心中的憂慮，靜待結果。

在提調尚宮、寢居尚宮和長值內侍緊張的等待中，太后終於現身食膳閣，連王后也隨同到來，看起來眞的是很重視這項比賽。

長今與今英各自端了餐盤桌進來放好之後退下，兩張餐盤桌上各自都只擺了飯、大骨湯，以及用小碟子裝的下飯小菜。

「百姓們通常都只吃得這麼簡單嗎？」

「其實更多的時候吃得比這個更簡陋，娘娘。」

長值內侍的回答讓太后頻頻咋舌。

「所以王上才會無一日不擔心黎民百姓的生計，很好。今日所有的料理都是使用過去百姓們所不吃的材料做成的嗎？」

一面這樣說，一面卻先去看崔尙宮的料理，外觀上看起來像是漬魚貝，但用的其實是誰也沒見過的奇特材料。

「這是什麼做成的漬魚貝啊？」太后問道。

「這是只使用魚鰾作成的漬魚貝。因爲舉凡小魚乾、黃石魚、烏魚卵與魚腸都已經在民間廣泛的醃漬食用，所以一般被棄置不用的部分，大概只剩下這魚鰾了。」

「哦，結果呢？」

「結果發現用魚鰾浸漬的漬魚貝，不但味道不比我剛剛提過的那些部位差，也適合做爲一般百姓的下飯小菜。」

「很好！那麼，這是用鹽漬的嗎？」

太后這次轉而指著韓尙宮餐盤桌上放著的小菜問道：

「是的，娘娘。這是鹽漬青梅。」

「青梅？是不是又酸又澀，釀酒才用的那種材料啊？」

「正是，但做成鹽漬青梅後，全無酸澀之味，値得食用看看。」

「嗯，果然如此。」在嘗過之後，太后頻頻點頭說：「再者也可以增加食欲，不是嗎？」

「是的，青梅不僅對胃和肝有益，如果人們平日飮用的水、體內流動的血，和吃進肚裏的食物當中含有毒素，那麼青梅還具備了解毒的功效，所以也常當做藥材來使用。」

「眞是再也沒有比這更好的食材了，不是嗎？」

「對於常因吃了腐敗或不好的食物而導致飮食中毒的百姓而言，可以說這不僅是最佳的小菜，也是一味良藥。」

「很好，這可眞是難以抉擇啊。兩邊都採用了本將丟棄的無用之物，做出了方便食用，有益健康的料理，眞是難定優劣，這該如何評斷才是呢？」

太后意指由湯來決勝負，遂先從今英的餐盤上舀起一匙飯用過後，才開始品嘗她的大骨湯味道。然後喝一口水漱漱口，再舀一匙長今的湯仔細品味。

「決定好了。」

由大骨湯來決定勝負似乎單純多了，眾人都緊張地將視線投向太后。

「崔尚宮的比較好。」

太后的評價到此爲止，嗒一聲放下湯匙，轉身正要離開時，碰巧看到長今，便瞇起眼來問道：「熬湯的人是妳吧？」

「是的……」長今幾近無言。

「想出菘菜餃子的孩子到哪兒去了？在那之後，只長了傲慢嗎？」

長今完全沒想到太后仍記得她，一時倉皇失措，正想開口說些什麼時，太后卻已像一陣冷風似的，轉身絕然而去。

崔尚宮趾高氣昂的訕笑聲聽得人更難受，曾經令她顏面無光的對手如今在眾人面前受辱，怎不令她覺得痛快萬分？甚至對韓尚宮發出一陣陣嘲諷的笑聲，完全不加以收斂。

「鹽漬青梅也是很棒的料理啊！」

與崔尚宮的態度相比，令韓尚宮更加生氣的，其實是長今這次的一意孤行，等把長今叫來處所坐下，看到她頹喪的樣子時，心中就忍不住湧上憤怒與失望。

「大骨湯是非要長時間熬煮不行的東西，這點妳也知道啊！爲什麼還會搞到那麼晚才回來？」

「只因肉舖裏上好的肉品都賣完了，只好跑到白丁村去找……」

「妳是想找上好的大骨和肉嗎？」

「是的，若時間允許，令英姊也會那樣做，我是眞心想贏。」

眼見長今至今仍力辯不休，韓尚宮知道不徹底點明她是不行的了。

「妳告訴我，這次的主題是什麼？」

「使用被丟棄或置之不用的材料，做成易於百姓食用的新料理……」

「沒錯，那麼百姓買得起上品的大骨和肉來熬煮大骨湯嗎？到底何謂大骨湯呢？」

「……」

「所謂的大骨湯，到底是什麼？」

「是，那是……是……」

「一般老百姓吃不起上好的大骨和肉，於是變通的將雜骨連髓一起熬了又熬、煮了又煮，煮成了大骨湯。而妳卻只顧想著自己的美味祕訣，竟然在大骨湯裏加了牛奶米漿。妳是個具有創造美味才能的孩子，我這麼讚妳是爲了要鼓勵妳，結果卻因而使得妳不循正道，變成一個滿心只想尋找昂貴的食材與美味祕訣的孩子了！」

如此勃然大怒的韓尙宮是長今前所未見的，當然想盡力平息她的怒火，卻又不知道該從何開始，只能戰戰兢兢坐著，動都不敢亂動一下。然而韓尙宮的怒氣不僅沒有因此消散，還添加了沉痛，深深嘆了口氣。

「我在妳身上所喚醒的那份才能，想不到卻變成害妳的毒藥。」

韓尙宮充滿失望與憤怒的樣子看得長今好心痛，所以她雖然如坐針氈，卻不敢站起來，也不敢隨便變動一下坐姿，什麼吩咐都可以，只希望韓尙宮快快下達事情讓她去做。誰知道在漫長的沉默之後，她所下達的命令卻宛如晴天霹靂。

「王后娘娘十分依賴的保母尙宮目前身體不適，正在療養當中，需要一位水刺間內人服侍，妳就到雲巖寺去吧。」

「嬤嬤！請原諒我。求求您，原諒我這一次吧。」

放著第二場比賽的勝負不顧，堅持要長今離開，幾乎就表示韓尙宮已放棄爭取最高尙宮的位子了。長今跪倒在韓尙宮腳前，求了又求；手腳都快磨破了，眼淚也始終不停，苦苦哀求，但韓尙宮卻絲毫不爲所動。最後連最高尙宮也過來緩頰，說這樣的處罰似乎太重，但韓尙宮仍一意堅持，不肯收回成命。

結果，長今還是必須收拾行李離開；同一個時候，今英正在她處所台階下的廚房獨自做著核桃柿餅，那是把新鮮水嫩的柿子曬乾後，切開一邊，拿出裏頭的硬籽，再把核桃剖開，代替硬籽塞進中心，但要看得到核桃剖面的一種熟實果子點心。一旁的圓形淺盤子裏，已經放滿了先前做好的各色甜果：野艾蒿甜餅、糖漬桔梗、糖漬蓮藕和糖漬山葡萄。

提著光看一眼，可能就會流口水的點心盒子，今英走進了內禁衛勤務室，從那裏聽到政浩去了雲巖寺，也不知道什麼時候才會回來的消息，不禁感到非常失望。

極樂殿頂上飛簷丹青閃耀，僧院前院對面的載嶽山三峰，均朝著有如芍藥葉片模樣的中天展延爭高，所以又稱爲芍藥山。如今芍藥山的山嵐裏夾雜著落葉，一路飄落到古寺前來，憑添了些許蒼涼。

從前院可以清楚的看見芍藥山，角落裏擺著一張木床，只見大白天裏，德九就喝醉了酒，呈大字型躺在那上頭呼呼大睡，與寺院居士追著陽光忙曬野菜的身影形成強烈的對比。秋日驕陽散發光熱，映照出居士忙碌的身影，並隨著時間的流逝，悄悄移動腳步，不知不覺當中就來到了德九高臥的地方。居士一寸一寸的推開德九，並在他空出的狹小空間上擺上野菜。到最後，德九便無可避免的從木床上跌了下來，咚地一聲滾到地上去。

「唉唷！唉唷！」

德九大嗓門的呼喊聲，幾乎撼動了僧院，可是居士完全不爲所動，仍舊專心的慢慢擺放野菜。

「喂！要曬野菜就可以推倒在睡覺的人嗎？」

「誰教你要挑有陽光的地方睡？」

「是因爲剛才有涼蔭，我才會睡那兒啊！」

「我要放野菜，你閃一邊去。」

「陰天收起，晴天晾曬，風一吹過又要忙著收拾……我看得都要不耐煩死了，現在又叫我閃到一邊去……」

一天到晚抱怨這、抱怨那，所以居士根本不把他當作一回事，仍舊悠哉游哉，自顧自的曬著野菜。就像德九自己說的話一樣，能夠左右這一切按部就班來的人的，不是其他人，唯有陽光、雲彩和風勢等的自然現象而已。

「唉唷唷，眞是煩死了！老婆啊！現在我終於瞭解妳的感受了，過去我老是讓妳爲了小事生氣，以後我絕不會再這樣了……」

德九舉出雙手做投降狀，突然瞥見從一柱門走進來的少女，不禁揉了揉眼睛。

「欸，這是誰啊？我有沒有看錯？可這不是長今嗎？長今啊！長今！」

「德九叔！」

長今上氣不接下氣的跑過來，看起來一點精神也沒有，就像焦黃的枯草一般。

「讓我想想，妳沒有道理跑到這裏來找我，要請我幫忙妳在比賽中獲勝吧……難道，妳是被派來侍候尚宮嬤嬤起居的嗎？」

「嗯，就是這樣。」

「哇哈哈，那眞是太好了，這是我近來聽到最教人高興的消息。這寂寞的山裏什麼都沒有，還在想要不要乾脆把頭給剃了去當和尚呢。」

德九以爲長今雙肩下垂是因爲走了很遠的山路，感到困倦的關係，所以也沒有更進一步的追究理由，反而爲自己從此有了說話的伴兒，高興得手舞足蹈。而就像是容不得別人高興似的，別院隨即傳來刺耳的哀嚎聲，以及要人趕快過去幫忙的呼喊。

「嬤嬤的病又發作了嗎？」

長今跟在慌張跑過去的德九身後一進到房裏，馬上就聞到令人作嘔的酸臭味，也看到了讓人心酸的畫面。僅著內衣的保母尚宮緊緊拉扯住胸口衣襟，大口大口的喘氣，醫官則想盡辦法要往她拚命扭動的身軀扎針。

德九與長今慌忙跑進去，幫忙按住她兩邊的肩膀，然後醫官趕緊趁機扎針，保母尚宮原本劇烈的喘息這才逐漸平順下來。

「可能活不久了。」

在別院台階下的廚房裏，德九一面準備熬煮海帶芽湯的材料，一面隨口說著。長今則望著壁灶裏尚未完全延燒的火苗，靜靜聆聽。

「大概是該走的日子不遠了，才會老是討著要吃小時候哥哥給的那一掌米。」

應是晚課的禮佛時間了吧，原先才一點點的火苗像被木魚聲嚇到了一般，一下子竄升起來，熊熊的燃燒。

「聽說在很小的時候，父母就雙亡，只剩下哥哥和她兩人乞討度日。小妹妹禁不起肚子餓，老是哭哭啼啼的，有一天，哥哥手掌裏握著一把米，就那樣全給了妹妹吃，她咀嚼了好一陣子後，才發現哥哥在一旁角落裏因疲倦睡著了。但其實啊，那根本不是睡著，而是永遠的踏上黃泉路，那一掌米因而成爲一輩子的遺憾。」

長今只是聽著，什麼也沒說，但眼淚就那樣不聽使喚，撲簌簌的流下來。沒有經歷過失去世上唯一僅存的血親之人，是感受不到那種心痛的。哥哥雖然死了，但那一掌米至少讓妹妹活了下來；反觀用葛藤根也沒能救活母親的自己，苟活至今，又做了些什麼……

「嬤嬤要求一定要把那米放進棺裏同葬，這可眞是有點……照她說來既不是飯，也不是糕，而是一撮白米，感覺又香又黏。我們也找了各式各樣的白米來給嬤嬤，結果她卻說這個也不是，那個也不對。」

「難道眞的找不到那種米嗎？」

「妳還當眞呀！那是沒得吃，肚子餓到受不了的時候突然吃到東西才會產生那種錯覺，不然沒煮熟的生米，怎麼可能又香又黏呢？」

「那也是有可能的啊。」

「不管怎樣，妳來了，我就可以輕鬆一點了。從現在開始保母尙宮嬤嬤的飯，就由妳來煮吧！」

「抱歉，德九叔，這陣子還是請德九叔您來煮吧。」

「妳不是只要說到料理，就連睡著了也會一骨碌爬起來的人嗎？現在是怎麼了？」

「只是有點沒力氣而已。」

「走了太久累了是吧？」

德九的視線從海帶芽湯轉到長今臉上，觀察她的氣色，不曉得是被灶火染紅了還是本身發紅的關係，總之她雙頰紅通通的，實在有點非比尋常。果然，當天晚上長今就開始發燒，病了一整夜，就這樣度過雲巖寺的第一夜。

第十二章　勝負

據說人蔘田從來沒有收成不佳的情況，因此正如所猜測的一樣，成均館學田收成的人蔘分明是有人偷偷運出去。

所謂的學田就是爲了維持鄉校運作，補充不足經費，由朝廷或世族捐贈，屬於鄉校私產的田地。中國宋朝之後，鄉校得以發展，學田的盛行絕對是主因之一，於是朝鮮時代在成立鄉校的同時，也導入了學田制度，並免繳所有的租稅，但也因而造成土地兼併的弊端，故後來又加上學田面積大小的限制。

政浩交代在涉及傳聞的商團出現之前，必須盡量隱祕的等待後，便遣走原本配置在學田守衛的兩名士兵，今天在天黑前也必須趕回寺院，因爲還有事要做。

明明已經入冬了，但或許是因爲趕路的關係，所以才走沒半個時辰就已經汗流浹背。正好聽到水流的聲音，政浩便往下走到溪谷去，坐進凹入的岩石掬水洗臉，卻驚見流動的水面上，倒映著長今的臉。

政浩趕緊用力的甩甩頭，並緊緊的閉上眼睛，但內心的波動還是沒有完全平靜下來，就因爲那樣才會無時無刻的心旌動搖。一天中總有好幾次眼前會不期然的出現又隱沒的長今幻影，究竟要到何時才能完全壓抑住，長埋於內心深處呢？政浩害怕再這樣下去，終有一天會管不住自己越走越遠的心；管不住自己的心，是世上最最可怕的事。

幻影太過眞實，讓政浩不禁擔心是不是這段時間，長今又出了什麼事情。一下子扭傷腳踝，一下子失約，幾天不見人影，一下子又喪失味覺，仔細想想，還眞是個一天到晚，大小麻煩不斷的女人，但也因此才更令人掛心，不是嗎？而看不到她，又會連帶心裏都空虛起來。

做爲一個男人，能夠成爲保衛國君的內禁衛軍官，固然是件光榮的事情，但如果能夠守護自己唯一心儀的女人，大概會令人更加喜悅吧。悲哀的是，他只能放在心裏，不能眞正守護，因爲她偏偏正好是屬於國君的女人……

胡思亂想的結果，只是讓心情越變越複雜而已。說不定全是因爲那些該死的甜栗果，把一顆心都給偷走了。說什麼自己的願望是想做出能夠讓吃的人一直都面帶笑容的美食；自己吃的時候，臉上是掛著笑容啊！但每每在吃完以後，就會像現在這樣，心中苦澀難言，所以說那些甜栗果不是該死的東西，又是什麼？

政浩爲了想甩掉紊亂的思緒，便將手插進冰冷的溪水中，然而長今的臉龐依舊，仍映現在水裏，而且還露出悲傷的模樣。眞的是幻影嗎？或是老天憐憫，刻意讓他多看看朝思暮想的長今嗎？政浩不禁心生恐懼，並有些鬱悶的吞了口口水，就這麼個輕微的動作，竟讓他在無意中瞥見了坐在溪谷高大岩石上的長今，並將臉埋在兩膝之上。原來自己看到的不是幻影，而是眞實的長今倒映在水中。她雙肩抖動，應該是在哭泣。

本想上前去打招呼，但政浩突然想起了一件事，便改變主意，悄悄的離開了那裏。他想起德九說過水刺間會派一個宮女過來，伺候保母尚宮的起居。看來那名宮女十之八九正是長今，如果此刻上前和梨花帶淚、我見猶憐的長今說話，政浩深怕自己最後會忍不住將她擁進懷裏，再也放不開手。

政浩就帶著這樣百味雜陳的心情離開，而毫不知情的長今則從一開始，腦子裏便只充滿了韓尚宮的話語。

「我在妳身上所喚醒的那份才能，想不到卻變成害妳的毒藥。」

越想越覺得委屈難過，自己想得不夠深遠，固然是個事實，但也還不到必須接受如此重罰的程度啊！之前的波折不少，但自己不都盡心盡力去完成了嗎？而這次只是自己在飲食上第一次犯錯，原因還不是因爲懶惰或不夠認眞，反而是因爲想要盡力，才會弄巧成拙的產生失誤，應該還有轉圜的餘地才對啊。

「我在妳身上所喚醒妳的那份才能，想不到卻變成了害妳的毒藥。」

想起韓尚宮的那句話，眼淚又不聽使喚地奪眶而出。長今想擺脫那彷彿已穿透腦袋的咒語，便起身離開了溪谷。

不是禮佛的時間，但寺院裏住持僧人的唸經聲卻連綿不絕，在供奉阿彌陀三尊佛的極樂殿裏，背對門跪坐的男子分明是政浩，不是看得很清楚，但應該是在祭拜的樣子，長今於是請教正好經過的居士。

「那裏，請問那位大人現在在爲何事祭拜？」

「當年大人的母親爲了生下大人而難產過世；據說三年前又喪妻，所以現在是在祭拜他兩位親人。」

長今完完全全不知道政浩喪妻這回事，一心以爲他是至今未婚的官宦子弟。原來這個外表穩重敦厚的男人，心中也隱藏了那麼深的痛苦。明月當空的大殿裏，長今一動也不動，失魂落魄般注視著政浩孤獨的背影，那晚躺在被褥中亦久久無法成眠。

「長今啊！找到了，妳看我終於找到了！」

德九嘻嘻笑著把酒瓶拿給長今看。

「之前酒肉都沒，嘴裏都快淡出鳥來了。現在呢，有了酒，可是還缺肉。怎麼樣？長今，妳要不要像從前一樣，跟我一起去打獵啊？」

「打獵？」

「對啊，野兔也行，抓一隻來烤了配著吃，酒喝起來才會夠味。」

「可是，這裏是寺院啊！」

「所以才會更好吃啊！偷來的東西總是比較香。妳知道爲什麼那些人不准我們打獵嗎？就是因爲這件事太有趣的關係啊。」

德久硬拖著不以爲然的長今往山裏頭走。本以爲就是一座松樹山林嘛，沒想到越往高處走，林種越多，有楓樹、漆樹、槭樹和五角楓樹等，全都長得蓊蓊鬱鬱。風一吹，心情也不禁跟著好起來。

德九和長今燃燒樹枝，用煙薰野兔的洞。野兔這種動物的習性，是白天躲在洞裏睡覺，晚上才會出來樹叢中活躍，所以用這個方法最有效。摒住呼吸等了好久，終於等到一隻兔子跑出來。因爲沒有網子，長今只好拉開裙子去圍捕，結果還是被牠逃掉。於是從這時候開始便由長今圍趕，德九負責捕捉，兩人追來跑去，野兔卻還是一蹦一跳的在樹林裏穿梭逃竄。

有時已到人兔可以對望的距離，好像就快抓到了的樣子，結果兔子「吱」一聲，又害怕的跑掉了。兔子平常都是皺動鬍鬚「噗噗」的叫，只有在害怕的時候才會變成「吱」聲，這點長今也很清楚。那是以前住在白丁村，常和一些世家子弟去捉兔子時學到的。

「德九叔，到您那邊去啦！」

「哪裏啊？在哪裏？」

「這邊啦，這邊！」

長今一面大聲叫，一面將兔子趕往德九的方向，德九雖張開雙臂採取半蹲的姿態守著，但無論如何，下盤總是不穩，因而屢屢失手，當然也可以當成是兔子爲了避開搖搖擺擺衝來的德九，動作敏捷的跑掉了。此時政浩無聲地出現在樹叢後面，一把就捉住了想逃跑的兔子。

「捉到了，捉到了！」

德九在長今拚命把兔子往他那邊趕時，動作慢得要命，可是衝過去看被政浩抓住的兔子時，卻又快得像支飛箭。而且還注意到長今現在的模樣，就像剛在地上打過滾一樣的狼狽。其實用不著德九眼光的提醒，此刻的長今也突然討厭起自己，都是爲了捉兔子，才會把裙子掀高綁住，而且散亂的髮絲全黏在冒汗的額頭上，眞是再醜不過的了。

有待令熟手在此，兔子交給他處理就好，可是德九還等不及火上的兔肉烤熟，人就已經因喝了三杯酒而醉倒在地了。

「原來只有兩、三杯酒的酒量啊。」

「依照德九叔的說法，是家裏的酒偷喝多了的話，就會被德九嬸發現，然後被臭罵一頓，所以他才特意練就了喝一點點便醉的方法。」

政浩大笑出聲，然而長今卻想起自己過去每次跑去捉兔子的時候，就會手執藤條來逮人的母親，不禁沉默下來。現在多想再因爲去捉兔子，而被母親用藤條把小腿肚打得皮開肉綻啊！可是會打她的母親已經不在了，只剩下自己這個連像政浩祭拜親人的事都辦不到的不肖子孫。

「看到徐內人趕兔子的樣子，好像不是第一次吧？」

「以前小時候老是挨母親的棍子，卻還是一天到晚夥同世家小孩去捉兔子。」

「那現在爲什麼會只剩下妳一個人呢？」

「都是因爲我的關係，不論是母親，還是曾爲內禁衛軍官的父親……」

「妳說我現在任職的內禁衛嗎？」

政浩又驚又喜的反問，但長今卻因此而開始啜泣起來。

「對不起，讓您見笑了。」

「不，不。是我太過冒失，觸到了妳的痛處，反而是我應該要向妳道歉才是。」

雖然口中說讓他見笑了，長今卻無法停止自己的淚水。其他時候，可能還會想盡辦法停止哭泣，但現在再怎麼努力想不哭，淚水卻像決堤一般遏止不住，連聲音也越來越大。

不知道該如何安慰她的政浩，只能默然的仰望天空。滿天繁星中，但見一顆拖著尾巴急速飛掠過天際，是流星！依稀記得傳說只要在看見流星的同時，對著它許願，願望就能實現。但是，想許的願望太多又太長，流星又一下子就消失不見，政浩趕緊在心底祈願：

「請讓她做出能讓吃的人一直都面帶笑容的佳餚，請讓這小女子的願望實現。同時，也請讓我能夠永遠守候在她的身邊。」

人的一生也像流星一般，不知何時會殞落，然而就在短短的一生中，想乞求的願望又往往太多也太長了。

爲了要買不足的藥材，長今接受鄭潤壽的緊急吩咐外出，正好與有事要到山下的政浩同行。兩人在藥舖前分手，說好一個時辰後會合後，政浩就直接往市場裏兼賣酒飯的小客棧去了。與變裝過的軍官約好在那裏碰面，交換並分析之前所蒐集到的情報。

根據情報研判，學田中被盜運而出的人蔘，確實是流向崔判述商團那兒去了。因爲這次的任務主要是挖掘情報，所以應該是到此爲止，先回內禁衛去共商大計才對，但政浩卻只請兩位軍官先走，自己決定再留一陣子。

政浩和長今再度會合後，兩人便走回山上去，旋即感覺到後面有人跟蹤。

「一、二、三、四……」

如果只有自己一個人的話，就沒什麼關係；但長今也在，要對付四個人就有點吃力了。起先政浩還暗中祈禱那些人只是跟蹤一下，待會兒就會消失，但彷彿在嘲笑他的天眞一樣，怪漢們立刻現身。政浩馬上以最快的速度擋在長今前面，並拔出刀來，幸好只是人數多而已，沒一個身手厲害的，政浩一下子就解決掉三個，剩下的那個人則被嚇得轉身就跑，只會偷取學田收益的傢伙是不可能會用刀的。

感覺長今像是被嚇到了，政浩趕緊握住她的手開始跑。除了要時時回頭看後頭還有沒有追兵外，又要顧及受到驚嚇的長今，還沒看到山寺，政浩自己也已經跑得上氣不接下氣了。決定讓長今先靠著一棵松樹幹坐下來，暫緩了一口氣，沒想到耳旁傳來咻的一聲，人差點被飛來的箭射中，距離大約僅差一根大拇指的長度，箭就插入長今頭頂上方的樹幹，尾端還劇烈搖晃著。兩人往後一看，發現怪漢們又追了上來，而且人數比起剛才又更多了些。

沒有喘息的時間了，兩人又開始向前奔跑。政浩突然想到居士就住在寺院前某處，情急生智，馬上帶著長今往那個方向跑，正看到他從台階下的廚房慢慢走出來。

「居士，有怪漢在後面追趕，請告訴我們可以躲藏的地方。」

即便身處在這種情況下，居士還是不慌不亂，從容的帶著兩人往後院走，然後打開倉庫的門要他們進去躲好，還保證說這裏不顯眼，不用擔心，並且交代在自己打發掉那些怪漢之前，千萬不要有所舉動。

「大人，這到底是怎麼回事？」

政浩支吾其詞的敷衍過去，全神貫注在外面的動靜上，稍微安心下來的長今則開始打量起倉庫裏的東西。說是倉庫，還不如說是間穀倉，軟棗獼猴桃、蕁菜、南瓜乾、翠菊葉、乾翠菊、乾蘿蔔葉、辣椒葉、桔梗根、蕨叢、蜂斗葉等各式各樣用稻桿綑綁的野菜，整齊的吊在天花板上。接著大略看了一下從南瓜子、三白草、紅花籽等種子類開始，到五味子、枸杞子、黃精、柿葉、菊花、松葉和木果等茶類，再到香菇、木耳、掃帚蘑菇、以及白蘑菇等菇類，好像只要是從地上長出來的植物，全都集中在這裏似的。

聽到門打開的聲音，兩人都嚇了一跳，幸好探頭進來的人是居士。

「他們走掉了，你們可以出來了。」

居士說那些怪漢可能還會在附近觀望一陣，所以要兩人吃了飯再走，就這樣將他們留了下來。

他的房裏也擺滿了各式各樣曬乾的野菜，意識到斗室之內僅有他們兩人，長今和政浩都有點不自在，也不敢面對面坐下，所以在居士端了餐盤桌進來之前，兩個人就一直尷尬的站著。

「粗茶淡飯，沒什麼好菜。」

「居士客氣，這已經是山珍海味了，怎麼還說沒什麼好菜呢？」

政浩接過餐盤桌放下，光看便讚嘆了一聲。散發出誘人香味的豆醬鍋，加上各式各樣的野菜料理，似乎頗值得一嘗。

「徐內人也嘗嘗看，味道好得不得了。」

先嘗了一口的政浩催促長今動箸，長今原本沒什麼胃口，但礙於情面，勉為其難地喝了一口豆醬湯，卻發現味道好得讓她嚇了一大跳。

「這是連在宮裏也吃不到的美味啊。」

「沒有那回事，這種東西哪比得上宮中美味。」居士謙稱。

「我可不是隨便說說的，這到底是怎麼做的啊？」

「呃，沒有啦，請不要再說了。」

「眞的，請教我祕訣吧。」長今仍鍥而不捨的問。

「哪有什麼祕訣啊？沒有祕訣啦。」

從那時起，長今就一直跟在居士後頭，要求居士教她做菜的祕訣，不死心到幾乎要令人發火的地步。但不管怎麼纏著居士問，他都只以沒有任何祕訣來做答，兩人之間的對話始終大同小異。

「野菜是在哪裏摘的啊？」

「到山裏頭去，那裏的野菜多得是。問什麼要到哪裏去摘，這也需要問嗎？」

「那教我曬野菜的祕訣就好。」

「就是攤在陽光下曬乾啊，不然它自己會乾嗎？」

絕對隱瞞了什麼祕訣不說，否則那雙如碼頭搬運工般粗糙的手，哪煮得出來味道那麼好的野菜火鍋。

那之間保母尙宮的病勢越加沉重，早就每天都會有好幾次喘不過氣來了。儘管發著高燒，但眼睛一睁開，就嚷著要吃白米。長今實在很好奇她到底是吃過哪種米，爲何到死前都還念念不忘，當然也覺得很遺憾，好想找出來看看。

長今一面想著這件事，一面在寺院的前庭緩緩踱步，看到居士正打算找個陽光普照的地方，曝曬稻穀。雖然他的動作慢得讓人受不了，但的確充滿了精誠之意。因爲心裏正想著米，於是長今不經意的便拿起幾粒米來塞進嘴裏嚼起來。

「還沒全乾啦！」居士看到了，試圖攔阻道：「才剛從大灶裏蒸出來，現在正要曬乾呢。」

「稻穀蒸熟後，再攤在陽光底下曬乾的話，會變得比白米還硬嗎？」

「沒錯啊。」

「那麼，如果把那曬乾的米放進嘴裏嚼一陣子的話，口感是不是會變得又香又黏呢？」

「妳知道得很清楚嘛。」

「大概就是這個吧，是尙宮嬤嬤要找的米。」

「尙宮嬤嬤在找蒸米嗎？」

「什麼是蒸米？」長今還是第一次聽到這名詞。

「山腰地的收成一向較遲，所以每逢中秋時分，若想以米祭祀先祖就有點困難，於是農民便把尙未全熟的稻穀割下來，放在大灶裏蒸熟，然後曬乾再拿來祭拜祖先。」

「居士，請給我一點這種米。」
「不行啊。」
「給一點點就好，嬤嬤不知道什麼時候就要離開人世了啊！」
「就算那樣也不行。陽光再怎麼好，至少也要曬四天以上，味道才會出來，這可是要曬得很乾，再拿去輾穀蒸熟後吃的米啊。」
「我會用最快速的方法曬乾的。」
長今一面說，一面偷偷藏了些米在裙子底下，然後匆匆離開。
「欲速則不達，慢工才能出細活啊……妳拿走那種米也沒有用啊……」
長今完全不顧居士的苦勸，立刻跑去拜託德九劈柴，然後將帶回來的稻穀放在灶蓋上弄乾。
「已經沒有四天以上的時間好曬乾稻穀了，請給我更多的柴薪，德九叔。」
「就是嘛，這樣不是一下就曬乾了嗎？，那個老頑固居士偏要一天到晚的曝曬翻弄、曝曬翻弄……都快把我給煩死了。」
把費盡心思與力氣弄乾的蒸米送到保母尚宮的面前，她雖也努力的撐起身子，但嚼了四、五口後，就表示不吃了。
「嬤嬤，這不是您要找的米嗎？」長今問道。

保母尙宮掙扎著說：「好像……是沒錯。」

「那麼？」

「可吃不出那種味道……」

「吃不出那種味道？」

「無論如何，都謝謝妳了。」

看著又躺回去的保母尙宮，長今感到萬分的絕望，不禁哭喪著一張臉。自己相信絕對不會錯的事情，卻一下子就被全盤否定，讓長今一下子沒了力。

德九和政浩都勸她已經盡了全力就夠了，但長今一句話也聽不進去。心情就如同幼時在洞穴裏，捧著葛藤根給尙未闔上眼的母親那般絕望。

最後，不知道是不是因爲始終吃不到那種米而放棄的緣故，保母尙宮的病勢急速惡化，就連喝湯呑藥都有困難，經常餵一口倒吐兩口。醫官鄭潤壽、德九還有政浩照例守候在旁，由長今餵藥，忽然聽到房門被打開的聲音，探進頭來的是居士。

「呃，因爲蒸米徹底曬乾了，所以我想……」

奉上一小撮盛在瓢裏的米，就連湯藥都已經呑不太下的保母尙宮，開始用力的咀嚼起來。

「很硬的關係，請慢慢的嚼啊。」

恍惚之間，長今他們似乎看到了微笑慢慢地在保母尚宮臉上泛開，同時兩行清淚也在微笑中自眼眶滑落。

「現在我就算離開人世也了無遺憾了，請一定要將這米放進我的棺材裏，我要帶到另一個世界去給哥哥吃。」

一面哭著，一面嚼著，保母尚宮懷抱一生的遺憾，都在這一瞬間得到了補償，長今惘然了。之後她走到石階下的廚房，拈了一小撮蒸米放進嘴裏嚼，散發出又香又黏的那種甘甜味，果然是自己在灶蓋上急速乾燥的米所無法比擬的滋味。

「祕訣……根本就沒有什麼特別的祕訣。」

長今不自覺的呢喃著，並不知道居士也走進了廚房。

「根本沒有什麼特別的祕訣。野菜也好，稻米也好，只要在陽光下充分的曝曬、翻弄、曝曬、翻弄、曝曬……懂得等待的那份精誠之心，就是祕訣啊！」

聽到長今的自言自語，彷彿受到感動的居士接下去說：「我不早就說了嗎？我母親也是這樣說的。要是東西吃不飽，至少要多吃點誠意來填飽肚子。所以啊，不管再怎麼急，也不能把還沒好的東西隨隨便便弄了給別人吃……」

這話讓長今聽了更加啞口無言。

長今像被當胸擊中一拳，走出了廚房，遠眺芍藥山，看到政浩雙手背在身後站在那裏。

「現在我才領悟到自己犯了什麼錯，用不知道保母尙宮嬤嬤何時會離世爲藉口，拿以旁門左道的方法蒸出來，並且急急奉上的米，根本打動不了嬤嬤的心。反而是憨直的居士按部就班曝曬的米，可以感動嬤嬤。」

「急著想奉上嬤嬤極度渴求之物的心意，怎麼好說是旁門左道的方法？」

「不是的。我是指現在終於明白韓尙宮嬤嬤說的話是什麼意思了。她說我被喚醒的那份才能反而成爲我的毒藥，那句話的意思我現在終於明白了。嬤嬤是深深的擔心我會成爲一個沒有誠意、只想靠小聰明取勝的人。」

「眞羨慕妳有一位好老師，妳的老師一定也和我一樣相信徐內人。就算暫時犯了錯，但我相信妳絕對不會隨意放棄自己的理想，就是妳說要做出能讓吃的人面帶笑容的佳餚那小小的心願啊。」

說出「笑容」那兩個字的同時，政浩的臉上也浮現溫暖的笑容，像被感染了似的，長今也與他相視而笑。

此時，寺院裏風聲瀟瀟，飄浮在山谷的雲嵐陣陣橫掃過庭院，政浩與長今便站在彷佛帶有綠意的嵐霧當中，對視身影分外溫馨動人，兩人都沒有發現，今英正好走進一柱門，並立刻躲到門後去偷看，眼神漸漸轉爲冰冷。

最先發現保母尙宮已經離世的人是長今，打開她握緊的拳頭，發現裏面是一撮蒸米。能夠帶走萬般尋求的蒸米，保母尙宮的遺容顯得十分安祥。

居士找著捧著保母尙宮牌位，打算回宮去的長今，遞給她一個厚重的大包袱。

「因爲是每天都在吃的東西，讓我一時沒有想到。這是用香菇、小魚乾和野菜等混合後搗碎的東西，在煮小火鍋或涼拌野菜時放一點，味道會更好。」

長今留下了無盡的謝意後便離開了雲巖寺，來的時候是獨自一個人，回程卻有德九和政浩相伴，所以三百里的路程感覺起來，也就沒有那麼遙遠了。更重要的，還是帶回了萬金難買的領悟。

因爲急著想要趕快回到宮中看韓尙宮和連生，長今不禁加快了腳步。然而宮裏的情況，卻和長今離開前有著截然不同的進展，起了激烈的變化。最高尙宮的病勢已沉重到行動不便的地步，感冒也在宮裏蔓延開來，久久未癒的宮女不少，第二次比賽的主題便在這當中宣布了，是要尋找一年四季都可以吃的生魚片，一看就知道又是太后偏向崔尙宮一方的做法。

就連鹹鰱魚到了夏天也會腐敗，根本不可能有一年四季都能吃的生魚片。要說是除了濟州島以外，掌握了全國山珍海味之原料的崔判述商團的話，或許還比較可能找得到。

偏偏在韓尚宮與崔尚宮出宮去找食材的時候，發生了大肆搜尋宮女處所的事件。內禁衛長來找最高尚宮時，是已過了酉時的夜深時分。

不久前東宮殿才發生壁書事件，內禁衛展開嚴密的調查後，發現有陌生人闖入，卻在追趕時不慎追丟了，但也確定犯人是逃往水刺間尚宮們的處所躲藏，於是便要求最高尚宮允許他們入內搜尋。

最高尚宮在連生的扶持下走出來的時候，水刺間宮女們已全體集結在處所前院，每個房間都燈火輝煌，只有兩間沒有點燈。

「那兩個房間爲什麼沒有點燈？」

「是受了太后娘娘的吩咐，出宮不在的兩位尚宮處所。」

最高尚宮的話才說完，士卒即毫不留情的湧入那兩個房間，開始大肆翻找。很快的就發現犯人藏身在崔尚宮的壁櫥裏，把他逮個正著，並拖了出來。

這一陣騷動終於平息，但最高尚宮已經兩腿發軟，渾身無力，就此坐倒在地。崔尚宮的房間被翻得像廢墟一般，犯人是找到了，但書和雜物也散落得到處都是，最高尚宮立即指揮宮女們好好整理，務求恢復原狀。其實打掃房間還算小事，收拾四散的首飾才眞是辛苦。說到首飾，崔氏眞可謂是世族中的世族，光崔尚宮一人所持有的首飾種類與價值，便足以與王后匹敵。

最高尙宮正想開口要大家專心將東西復歸原位，其他的別多議論，眼角突然瞄到滾落在房門前的一本冊子，翻開的冊子顯露出記得密密麻麻的蠅頭小字，上面畫的圖怎麼看都是有關飲食的，外加紙張的昏黃，裝訂都快要解體的模樣，那分明就是記載多年的飲食日誌。本想收拾好便罷，但內容裏的特殊性質卻讓人無法視而不見。

拿起冊子才翻開第一頁，最宮尙宮即雙眼圓睜，而且每翻一頁，目光越森寒，最後終於連全身都顫抖起來。原來這本冊子是專屬於歷任最高尙宮代代相傳的水剌間飲食祕笈日誌，前任最高尙宮竟然跳過了尙宮，直接傳給了崔尙宮。

「簡直是天下最惡毒的傢伙！分明是該傳給水剌間最高尙宮的祕笈日誌……崔尙宮，妳可眞是大大侮辱到我了！」

像黑暗裏猛獸的眼睛，最高尙宮的眼裏也燃起了怒火，飽含憤怒與敵意。

壁書的主嫌原來是東宮殿的太監，上面的人害怕事情會擴散開來，就三令五申的遮掩了下來，然而一如過往所有的類似事件，宮裏還是到處有人竊竊私語。感冒偏在此時如雪上加霜似的在宮裏播散開來，於是到處一片混亂。閔尙宮和昌伊也莫名其妙的開始覺得不舒服，沒幾天工夫就倒了下來。

長今到達的時候，正是王宮被一股原因不明的奇怪氣氛所籠罩之際。韓尙宮看到了長今，別說是稍顯高興了，根本連看都不看她一眼。問起比賽的主題是什麼，也只是挑眉看了看她，就像對待陌生人一般生疏。除了這主要的缺憾外，長今隔了許久才又回到自己的工作場所，內心的感受不可謂不充實。

做著居士教授的枸杞艾草粥，樂趣油然而生。把過濾掉枸杞剩下來的水拿來煮粥，放入磨碎的艾草，加點鹽，再加點蜂蜜調味，便呈現出一道美味的粥品，還可以預防感冒。長今研磨著想要拿給韓尙宮的艾草，今英走進來在她的身旁站定，兩人已好久沒有像這樣並肩而立，準備飲食了。

就像前頭的韓尙宮與崔尙宮也並肩站著一般，各自處理著要放進自己菜餚裏的蔬菜。

「韓尙宮嬤嬤還不肯原諒我，到現在氣都沒消。」

「就算那樣，妳擁有的也太多了。」

對於隔了好久才又見面的今英，長今心無芥蒂由衷的表示，得到的回應卻完全牛頭不對馬嘴。

我在這世上最想擁有的東西，最不想跟任何人說、只想獨自珍藏於心中的東西，如今已全都被妳給奪走了；今英強忍著，把眞正想對著長今破口大罵的話又全數吞了回去。

雲巖寺裏政浩與長今深情相望的畫面，讓今英全然崩潰，在把食物包裹狠狠的丟到山下去時，已連同內心的糾葛、自尊心、迷戀與理性也一併都丟了。政浩的心中已無自己的容身之地，現在感情能夠依附之處，只餘王宮、飲食，和崔氏一族的權勢。

她會去找崔尚宮一半是出於衝動，會說現在已有了看祕笈的心理準備，心態也大致相同。

「本來想叫妳不要去，但後來想想妳出去透透氣也好，沒想到回來以後，反而變得懂事多了。」

原本一直執著於只要有天分與努力，既不需要什麼祕訣，更不必走旁門走道的今英，現在這樣的變化讓崔尚宮除了高興還是高興，馬上想要找出祕笈來給今英看，但打開壁櫥卻又立刻感覺有異而開始緊張起來。在韓尚宮主動找長今過去的時候，也正好是崔尚宮爲了找祕笈而翻遍整個壁櫥之際。韓尚宮是要跟長今說已經找到一年四季都可以吃的生魚片，想要長今吃吃看。長今光聽到韓尚宮的聲音就高興得不能自已，當然是什麼都乖乖照做，立刻把生魚片往嘴裏塞。結果不但味道重不說，而且才嚼一口就滿嘴的魚腥味，幾乎令人作嘔。

「覺得噁心也不可以吐出來，繼續咀嚼下去看看。」

無法違逆韓尙宮的話，想吞吞不下去，想吐又不能吐出來，只好繼續咀嚼，意外地，竟漸漸嚼出一股獨特的滋味，與一般的生魚片比起來，肉質較韌，餘味清爽。

「這是鰩魚生魚片，是我到濟物浦去的時候，跟偶然相遇的全羅道船員買來的。聽說一向只有全羅道海岸邊的人家吃，但我覺得這應該可以成爲一年四季都適合食用的生魚片材料。」

「對身體也好嗎？」

「妳不問我也已經先去藥舖問過大夫，他說鰩魚可以去痰，幫助消化，甚至可以促進血液循環，不僅如此，還可以清腸，對王上來說，實在是沒有比這更好的食物了。」

雖然不知道崔尙宮找到了什麼，但應該沒有比鰩魚更好的生魚片了。韓尙宮又恢復了過去一貫沉穩的態度，讓長今對第二次的比賽再度充滿了信心，彷彿連晚上睡覺也都可以高枕無憂。相反的，比賽對手的崔尙宮那一方卻變得戰戰兢兢，緊張不安。祕笈不見了，崔尙宮本以爲是監察尙宮在突然搜查房間時，一併拿走的，等到聽說最高尙宮也來過自己房間之後，立刻急得當場就昏了過去。

離比賽的日子只剩下四天了，如果最高尙宮在比賽當天把這件事當眾揭發出來，不僅是自己，連提調尙宮也推卸不了責任，對於這種不遵守程序與規範的行爲，眞要追究的話，還不知道太后會如何降罪。

兩位尙宮去找最高尙宮是在比賽兩天前的戌時左右，崔尙宮開門見山就先承認自己的不對，並請求原諒。提調尙宮也勸說反正祕笈日誌已經物歸原主，過去的事情就不要再提，免得引起不必要的紛擾。然而最高尙宮始終不發一語。崔尙宮竟然又退一步說在第二場比賽中，自己將不拿出生魚片來。等於主動放棄，但在靜靜聽完所有的話之後，最高尙宮卻只回答了一句話：

「如果要說的都說完了的話，就請回吧。」

懷柔措施無效，提調尙宮和崔尙宮開始想辦法要取消比賽。結果卻發現根本沒有必要絞盡腦汁想辦法，因爲宮中突發了意外的狀況，讓整件事轉向對他們有利的方向發展。

當天晚上，內醫院便傳來宮中流行病猖獗的消息。原來已經讓好幾個人臥病不起的並非感冒，而是一種流行病，也可以說是一種原因不明的怪病。這和以前發生過的疫病都不同，就因爲症狀輕微，僅如感冒，所以無論是染病的人或是內醫院都沒有及時掌控，才會造成病情的蔓延。

結果那天晚上王上便下令，任何人凡有一點點的症狀出現，都必須無條件的立刻加以隔離，當下宮中便以預防流行病，隨時隨地均不能掉以輕心爲由，任何人只要臉色看起來有一點不同，就視爲必須隔離的病患，又說經由飲食傳染的機率特別高，所以對水刺間所有人員的管束也就更加嚴厲。

得到崔判述授意的吳兼護喚使內醫院的醫官連最高尙宮都加以隔離的事，也發生在那天晚上。在監察內人半掩著臉由軍官陪同走進來，說必須到雍津谷去的時候，最高尙宮就直覺不對勁，但君命難違，也只好遵旨而行。

比賽一事也因此煙消雲散，原本滿懷勝利自信的韓尙宮與長今都感到非常洩氣，另外提調尙宮以丁尙宮不知何時回來爲由，接連好幾天都陪在太后身邊，力主一定要有人先代理最高尙宮的位置。

太后起先還以宮裏當前流行病猖獗，那並非首要之務，把她舌燦蓮花般的說辭擋了回去，可是最後仍不敵提調尙宮一再的遊說，終於同意賦予她任命代理最高尙宮的權利，幸好還不忘加一條但書，就是僅代理到丁尙宮回來時爲止。

提調尙宮特別挑在水刺間與燒廚房所有尙宮齊聚一堂的時候，任命了最高尙宮的代理人，這個頭銜理所當然的落在崔尙宮的身上。令人更加擔心的是，在一片議論紛紛之中，崔尙宮又立刻把忐忑不安的水刺間全體人員都召集到食膳閣。

以韓尙宮爲首的尙宮們站在最前面一排，接著內人與生角侍們也陸續進來，找到自己的位置坐下，整個場面完整了，崔尙宮才走進來坐下。那步伐、那眼神、還有那刻意拔高的聲調，都只能以「有風駛盡帆」五字來形容。

「這是新的最高尙宮代理嬤嬤。」

韓尙宮代爲發言的第一句話便讓場內馬上如滾水一般沸沸揚揚。大家且立即你一言、我一語的議論起來。

「大家安靜，向最高尙宮代理嬤嬤行禮致意。」

韓尙宮並且率先行禮如儀，心裏幾乎要滿溢出來的鬱悶與失望、嘆息與挫折，全都刻意隱藏起來，表現得泰然自若。反觀受禮的崔尙宮，嘴角上揚，志得意滿，躊躇滿志溢於言表。

「就算丁尙宮嬤嬤因病需要療養不在，宮中還是有許多需要處理的大事，如今交由我全權代理，希望大家在越是困難的時候，越要聽從我的指示，一絲不苟的辦事。首先因爲流行病的關係，許多人員不在其位，人手不足，更需要互相支援，所以太后殿金尙宮、太平館李尙宮及東宮殿曹內人即日起轉往大殿水刺間。」

長今頓感到不安，一邊等待她接下來要說的話。無論如何，一旦當上了最高尙宮，崔尙宮是絕對不會放棄機會爲難韓尙宮的。

「四天後有從明朝來的使臣團，朝廷基於冊封世子❶，需要得到大國的同意爲考量，各方面都更加用心的打點，使臣團的接待與儀式絕不可出現任何一點失誤。換句話說，需要由最有才能的宮女來擔任這項工作，韓尚宮聽清楚了嗎？」

故意用上對下的姿態說出將由最有才能的韓尚宮與長今來負責這件事。

「我可是相信妳，才會把事情全交給妳去負責。」

崔尚宮故意擺出上司的派頭對韓尚宮說。

太平館是人人避之唯恐不及的地方，永無止息的麻煩，使臣們公然的刁難，幾乎沒有一天可以安然度過，卻又是最不受重視的下等職位。做得好，沒有功勞；做得不好，一樣得飽受責難。

雖然被派到那種地方去接受差遣，韓尚宮還是默默的埋頭做事。長今不曉得韓尚宮的心裏到底是怎麼想的，但從外表上倒是一點都看不出來。看著她那泰然自若、一心投入工作的樣子，長今心裏真是萬般難受。最後終於忍不住開口問道：

「嬤嬤您心裏不難過嗎？」

「怎麼會不難過？」

❶中宗的世子為中宗第二位王妃章敬王后之子，於一五二〇年接受冊封，後即為仁宗。

「那您難道都不擔心嗎？」

「心情就如泰山般沉重。」

「那麼，爲何您還能夠保持冷靜呢？」

「我其實一點也不冷靜。」

這是完全誠實的回答，但在無計可施的情況下，鬱悶的心情如昔，但韓尙宮也不是什麼都沒做，至少始終留意著周圍的動靜，這天太平館內人走進來，遞給她一封說是待令熟手姜德九要求轉達的信。

看有來信的韓尙宮再也無法保持冷靜，甚至丟下手中正在處理的魚，立刻打開來看信。連長今都注意到韓尙宮激動得連手都在顫抖。

信是從雍津谷送來的。四天前，韓尙宮曾經拜託德九過去看看丁尙宮的情況，這正是她託德九捎回來的信，內容從以自己與流行病並無關係說起，並以不多久就會回來，絕對不可以動搖心志做結束。

「可惡啊……眞是太惡毒了……」

看完整封信後，激動的韓尙宮不知在咒罵什麼人，手也繼續顫抖著。

「最高尙宮嬤嬤還好嗎？」長今關切的問。

「最高尙宮嬤嬤說她根本沒有染上流行病，還特別交代我們絕對不可以動搖心志。所以長今妳也要盡量努力做到那樣，明白了嗎？」

韓尚宮握緊拳頭說。長今從她的眼裏看到，不管發生什麼事都絕不退縮，近乎悲壯的堅定決心。

當時明朝故意刁難，對於太子冊封為世子一事，一天過一天的拖延，不願表態，王上的憂慮因而日見加深。接待在這種情況下抵達的使臣團，可得比上呈國君的御膳更加用心；尤有甚者，這次使臣團的正使大人在明朝還是位出了名的美食家。長值內侍過來做過特別交代後，醫女施然便端了湯藥進來，說是內醫院送來要給正使大人治療消渴症❷的湯藥。

太平館宴會席上吳兼護與正使對坐，留著白色長鬚的正使一眼看去便猜得出是一個個性乖張的人，意外的是朝鮮話講得很流暢。

「正使大人是何時學會如此流利的朝鮮話？」

「因為幼時的保母是從朝鮮過去的女人。」他的口氣不見一絲尊重。

吳兼護誇張的諂媚點頭時，餐盤桌端進來了。看起來雖清爽豐富，卻沒有一道

❷即今之糖尿病。

華麗，全都是些野菜類的料理。吳兼護當場把長値內侍叫進來臭罵了一頓，下令盡速撤換，端新的菜餚上來。然而再次送上來的，還是一片的青綠色。

吳兼護看到正使的臉色大變，連冷汗都冒了出來，不知如何是好。

「妳知道自己是在誰面前嗎？竟然拿這種不像話的菜餚……」

吳兼護已經氣得發抖，在門前徘徊的韓尙宮立刻上前委婉的報告：

「眞是抱歉，奴婢是顧慮正使大人有病在身，還遠道而來，所以……」

吳兼護根本不願多聽，大發雷霆的叫人把韓尙宮拖下去。負責侍候茶水的長今端茶進來時，正好撞見韓尙宮被拖走，立刻貿然的跑進去跪倒在地。

「妳、妳、妳這奴婢又是在做什麼？作爲一個內人，這成何體統，竟敢……」

但此刻的長今根本無暇去顧慮吳兼護。

「正使大人您遠道而來，消渴症可能會加重，而治療消渴症與其全靠湯藥，還不如注重飲食，如果不知調節，則百藥無效。韓尙宮孃孃正因爲如此，才會捨棄所有可以展現她廚藝的菜餚，只做出對正使大人身體有益的料理。」

「把那奴婢拖下去，馬上換能讓正使大人滿意的山珍海味上來。」

「此刻若只想滿足一時的口腹之欲，反而會成爲有害於己的毒藥，請您明察。」

「從沒看過這麼無禮的奴婢！來人啊！到底在做些什麼？還不快把這不識大體

的東西拖下去！」

「只要十天，不、五天就夠了，請您一定要嘗嘗這些食物！」

長今在被拖走的同時，還是懇切的大聲請求，也不知道是不是她迫切的聲音傳入了耳裏，原本一直冷眼旁觀，看著吳兼護處理的正使大人終於開口說話了。

「妳是不是說五天？如果五天以後我沒有任何好轉的感覺，妳和妳的上司就任由我處置，這樣可以嗎？是這意思嗎？」

「是。」

「就算我要妳們的命？」

「是……」既然不能應「不」，也只能說是了。

「很好！那我就給妳們五天的時間。不過我是個很挑嘴的人，換句話說，我不會爲了有益身體，而勉強去吃一些不可口的食物。」

當場這就算及時挽救了韓尚宮的生命，但是究竟只能多活五天，還是可以平安無事，就全掌握在長今手裏了。

這個消息瞬間便傳至太后殿，才剛成爲最高尚宮代理人就碰到這樣棘手問題的崔尚宮馬上跑過來，凶狠的瞪住長今大罵：

「妳到底做了什麼蠢事，害韓尚宮被拖去拘禁！給我出去！從現在開始，正使大人的飲食由我來負責。」

「我不出去。」長今不想多做無謂的解釋，只說重點。

「妳說什麼？」崔尚宮完全沒有想到長今敢忤逆她。

「請嬤嬤您出去。正使大人已經承諾在往後五天期間只吃我做的食物，因此這五天裏，這間廚房的負責人是奴婢，我一定會竭盡心力去完成自己的任務，所以，請嬤嬤離開。」

崔尚宮怒氣騰騰本想狠狠的辱罵一番，卻因長今的話而氣焰大消，只好悻悻然的離開。碰到這種被當場搶白，令人無法忍受的事情，心裏當然不痛快，但對方說得義正詞嚴，自己也不好繼續堅持，索性順勢送信給兄長，請他找來料理滿漢全席所需的一切食材。

或許這樣也好，習慣了油膩的食物，口味也拿刁的正使大人絕無理由滿足於長今所端上的那一桌桌清淡的葉菜料理。等那之後再端上奇珍異獸的豐盛大餐，所有的事情就能夠順利解決。自己立功的同時，還可以順便除掉長今和韓尚宮，不但是一舉兩得，還是一勞永逸……

先找著有陽光的地方曝曬野菜，再把曬乾了的香菇、小魚乾和昆布磨碎。第一天就這樣上了豆醬湯與野菜料理。但正使大人打從嘗第一口開始，雙眉便始終緊皺，直到用完推開餐盤桌爲止，一次都沒有鬆開來。

第二天上的是各式海藻類的菜餚，包括海帶、紫菜、鹽草和海蜇皮，光看就覺得新鮮爽口，但正使大人這次還是一樣皺著眉頭。第三天端上加進白帶魚肉一起煮的海帶芽湯，第四天是豆腐火鍋，第五天則端上用菘菜做成的水漬泡菜與竹筒飯。雖然把這些食物都吃過一遍，但正使大人的眉頭始終也沒有鬆過。

傾盡全力的長今筋疲力竭的從料理間出來，正好撞見內人與僕傭忙著把崔尚宮準備的材料抬進去。早就從連生那兒聽說，共有豬肉十五斤、鴨子八隻、羊肉二十斤、鱉四隻、鵝五隻、鹿肉十五斤、雞五隻、魚肉二十斤，連鹿鞭都準備好了。

光是母鹿子宮、熊掌、天鵝、孔雀、青蛙之類的飛禽走獸就有數十種之多，連虎鞭做的「清湯虎丹」、四不像的頭做的「一品麒麟面」、鹿的眼珠子做的「明月照金鳳」等全端上了桌。聽說正使大人總共花了四天的工夫，日夜不停的品嘗了兩百餘種的山珍海味，夜夜笙歌。

長今因爲結果尚未確定而淚流不停，又像一輩子的心力全在一瞬間耗盡似的，氣力全失。虛脫、茫然、頹喪得只想哭，而且可倚賴的韓尚宮和丁尚宮都不在身邊。如果能夠只配合口味，也做些華麗飲食的話，無論是韓尚宮或丁尚宮，現在都可以高枕無憂。但就是因爲基於理念沒有那樣做，兩位尙宮才會都遭隔離，如同此刻自己也像被隔離於舉世之外一般，天地間彷彿僅剩自己一人的感覺。好孤單啊！孤獨感已深深滲入骨髓之中。

正使大人品嘗著崔尙宮準備的魚翅湯，魚翅上還特別塗了蔚珍進奉的雪蟹肉，讓風味更上一層樓。豐盛的大餐共有超過二十種以上的主菜和副菜，加上一旁陪襯的冷盤、乾果、蜜餅和水果，通常多達三、四十種。一個主菜慣例配四個副菜，稱爲「眾星拱月」，也就是四星圍繞一月的意思，意指眾臣子擁戴一個皇帝。

總之，正使大人眉頭皺也沒皺一下的吃完了。既然說過不惜賭上自己的命，結果當然也應該直接讓她知道才對，所以把長今也叫了進來。看起來一直吃得津津有味的正使大人突然放下碗筷說山珍海味就吃到此爲止，讓原本笑得合不攏嘴的吳兼護與崔尙宮一時愕然，因無法理解而眼帶疑惑。

「我一向貪食美味油膩之物，才會得到消渴症，但仍無法戒除口腹之欲，病勢才會日益加重。然而我既不是朝鮮人，也不會久留此地，妳原本只需做出合乎我口味的飲食就好，爲何偏偏那麼固執呢？」

「我只是跟隨嬤嬤的信念罷了。」

「妳所謂的信念又是什麼？」

「嬤嬤說不管在何種情況下，都不可以給人吃有害的食物，那才是身為料理人的義理。」

「就因為那樣，即便會讓自己身陷險境，也不願改變嗎？」

「正使大人難道沒有看到嬤嬤已經被拖下去了嗎？」長今勇敢的反問。

「沒錯，還眞是頑固不堪的師徒二人啊。知道了，就如同料理人有義理及信念一般，吃的人何嘗沒有義理與信念？料理飲食的人都懂得為我的身體著想了，我自己又豈能一直耽溺於有害的飲食？到我歸國之前，飲食就完全交給妳們這兩個固執的師徒去負責吧。」

長今喉嚨緊縮，一句話也說不出，反倒哭了起來。起初只想到終於可以活下去了，接著才確切的感受到韓尚宮的堅持是正確的，自己能夠做她的弟子，眞好！

正使爽快的解決了冊封世子的問題，國王與太后的喜悅簡直非筆墨所能形容，但因此事得功之人，反而是吳兼護與崔尚宮，只因為吳兼護是負責此次使臣接待的總管。

不管怎樣，韓尚宮被放了出來，這就足以讓長今感到無限滿足，因為她是自己最愛的人，她的平安就代表了一切。

那段期間因如遭母喪，哀痛逾恆而久病在床的文定王后終於可以起身了。之前章敬王后生下兒子才不過五天，便因產褥熱病逝，一時以士林派爲中心的大臣再度主張迎廢后申氏復位，但後來仍在可能會動搖太子地位的輿論壓力下作罷，於是便立尹之任之女爲后，此即中宗的繼后文定王后。

保母尚宮很早便代替死去的母親，給予王后比血親更多的關愛，她的離去自然令王后萬分不捨。無法平息思慕之痛的她因而臥病在床，過了好久，現在才總算有點精神，馬上傳喚陪伴保母尚宮走完人生最後一程的水刺間內人前來晉見。

長今跟著長値內侍進入中宮殿，與王后第一次見面便相當投緣。

「保母尚宮走得可安祥？」

「是的，娘娘。嬤嬤說過去服侍王后娘娘，共同生活的那段期間，眞的非常幸福。」

「是啊，她對我而言，是比母親給了我更深關愛的人。本來應該親自做的事卻……連最後一段路都無法陪伴……」

王后說得眼淚直流，長値內侍爲了要讓王后放寬心，馬上轉變了話題。

「娘娘，如果是這個孩子的話，一定是盡心盡力，妥善的送走了保母尚宮。小人也在這次太平館事件中，對這孩子刮目相看。」

王后露出對太平館事件感興趣的樣子，長値內侍便趁機將事情從頭到尾做了一次詳細的稟告，而王后在向太后問安的時候，也跟太后稟告了這件事情。因此之故，提調尙宮被大大訓示了一頓，竟然給患有消渴症的正使大人獻上滿漢全席，事後還攬盡所有的功勞，對眞相沒有提及一字半句。太后對此火冒三丈，甚至連王上也怒責怎麼可以不顧正使大人有病在身，一味做出迎合他口味的飲食，這行爲簡直不足可取。

讓提調尙宮與崔尙宮動了惡意心機的事情還有一樁，那就是流行病已不再蔓延，也找到傳染的病源與肝有關係，因此被隔離到雍津谷去的宮女們全數返回。不但如此，太后甚至直接下令，要水刺間所有的宮女集合，歡迎丁尙宮回宮。

在一群宮女的簇擁下，由閔尙宮扶持著走來的人，確確實實是丁尙宮，韓尙宮、長今、連生和昌伊一看，便全都淚流滿面的迎上前去。

「怎麼？都見到鬼啦，人都來了，怎麼不見有人問安啊？」想不到了尙宮猶能嘲謔道。

「嬤嬤，原本聽說您行動不便，大家都非常擔心呢。」

「因爲還有要事待辦，力氣自然就湧現了。」

崔尙宮與提調尙宮也現了身。

「怎麼勞動嬤嬤您出來迎接我呢，不來也行啊。」先對提調尚宮說，再轉向崔尚宮，「另外代理我的期間，辛苦妳了。」

丁尚宮的話裏帶刺，其實她們等待的另有其人，之前就已經接到內侍公公們通知，說太后也正要過來此地。

連同王后一起出現的太后先歡迎了丁尚宮回宮，接著便提出之前已幾乎遭到遺忘的比賽。

「聽說妳冒險呈上高明的料理啊？」

「是的，不過，與其說是我，還不如說是我的上饌內人長今……」

「嗯，我也聽說了那件事。雖然我也曾經認爲接待明使，應以美味爲重，因而不把他的健康與否當成一回事，但聽了王后的說明後，有了不同的想法，今天才會特地到此。王后說，成爲水刺間最高尚宮的基本條件，豈只有廚藝卓越一項而已？有時還要有信念與奉獻的精神，知道如何抗拒王上的意思才行。」

所有的人都仔細聆聽之際，長今突然抬起頭來望向王后，王后也正好往她看過來，兩人短暫地交換了帶笑的眼神。

「那樣才能讓人保重玉體啊，不是嗎？因此這次雖然不是我所訂的主題，但就以韓尚宮獻上的青菜料理和崔尚宮獻上的豐盛大餐來充當第二次比賽吧！我在此判定第二次比賽結果由韓尚宮勝出！」

太后乾脆就在那裏宣布了最後一次的主題。

「沒什麼特定的主題，隨便發揮再獻給王上和我品嘗即可。只要味道好，又顧及健康，再加上可以表現出妳們心意的飲食就夠了。」

日期就訂在太后生辰當天，因爲是凶年，王上與太子的生辰佳宴也都力求儉樸，因此太后以可表現誠心的飲食即可做爲結語，然後就離開了。

心情澎湃回到處所的長今，隨即小心翼翼的翻開母親的飲食手記研讀。

「今天與好友一起做了甘甜醋埋藏在璿源殿後院的樟腦樹下，約好日後誰當了最高尚宮，誰就擁有。」

讀著手記的時候，好幾次都不自覺的微笑，只要看到母親提到好友，長今就特別受吸引，兩位生角侍年幼做好了甘甜醋之後，小心翼翼、避人耳目的在樹下挖洞的身影，活靈活現。母親的好友會是誰呢？眞教人好奇。

「不會早已成爲最高尚宮了吧。」

崔尚宮的臉孔霎時浮現腦海，打了個冷顫的長今不禁訕訕笑了起來。

應該就像連生和自己一樣吧，困難的時候，一起抱頭痛哭，快樂的時候，一起開懷大笑，就算什麼事都沒有，只要有她在身邊，就覺得安心的那種好友。長今甚至突發奇想，要不要也和連生一起做甘甜醋，埋在後院的老榕樹下呢？但以後若要爲了得到最高尚宮的位置，而和連生競爭的話，又有點不可思議。連生若聽到這話，一定會馬上笑罵著說自己在作弄她吧！

腦中突然浮現今英的面孔，長今臉上的笑意逐漸褪去。如果是今英姊的話，兩人日後一定會爲了最高尚宮的位置而互相爭奪，不知從何時開始，兩人之間已經變得毫無善意，只存競爭。

沒錯，如今今英心底就只剩下一定要贏的求勝意念而已。非贏不可，今英想藉此證明，比起長今天生有創造美味的才能，自己的才能更勝一籌。而既然要做，就一定要讓長今也深受傷害不可。在太后宴會上，崔尚宮打算呈獻上的飲食中，今英主動要求負責粥品和餐後甜點，便是受這種陰狠慾望驅使的結果。

韓尚宮決定以八卦湯爲主菜，烏龜肉用大火炒過，調味之後撈起放在一旁，再淋上用冬蟲夏草與雞一同燉煮的湯汁，最後連同烏龜蛋煮滾，即成爲一道美食佳餚。然而，出宮去買冬蟲夏草的韓尚宮卻直到宴會前晚都還沒有回來，讓長今再度焦慮不已。

其實韓尚宮此時正被怪漢綁走，關在某間不知名的倉庫裏。這是崔判述不放心妹妹誇下海口必贏，自己研判情勢仍然不利後，設計綁架了出宮的韓尚宮。結果這次比賽的準備工作，又變成長今一人獨撐大局。

長今的鮑魚粥和今英的五籽粥比起來算是很簡陋的，僅挑選鮑魚慢火熬粥，因此以桃籽、杏仁、核桃、松子和芝麻磨粉所煮成的五籽粥，自然得到太后較多的關注。而且看來蕎麥年糕也比韓尙宮這邊的烏魚皮包泡菜更佔優勢。

崔尙宮的主菜是雞肉水蔘冷盤，雞湯混合豆漿做出的醬汁清淡爽口，太后和王上都讚不絕口。重頭戲既已獲稱讚，崔尙宮心想自己已必勝無疑。

韓尙宮沒有回來，就無法做出八卦湯，長今逼不得已，情急之下便做出了海鮮冷盤，看來平凡無奇的海鮮冷盤果然絲毫吸引不了太后的注意，連筷子都不想碰一下。後來是因爲看到王后吃得津津有味，才勉強做個樣子夾了一口。想不到一口之後又情不自禁的再夾一塊放進嘴裏，這次就眞的細細品嘗了。

「嗯，眞令人訝異，王上，這種爽口的味道，我還是第一次嘗到。」

「就如海鮮在嘴裏活蹦亂跳的感覺，不是嗎？」王后在旁又加上一句。

「還以爲只是平凡無奇的海鮮冷盤而已，沒想到味道這麼獨特，是怎麼做的啊？」

國王也大力的點頭讚許，詢問向長今。

「過去宮中主要是用松子汁來料理，但卻有減低冷盤清爽感的缺點。因此這次就用大蒜汁來試試看，因爲大蒜既能去除魚肉腥味，又能增加清爽的口感。」

「噢，原來如此。果然不會像芥茉嗆鼻，有點甜又帶點辣，讓口腔變得更加舒爽。」

原本已不抱期待，想不到反應比預期中更好，長今突然有點不知所措，更何況海鮮冷盤是母親與好友一同創作的菜餚，意義非凡。之前爲了想在大蒜汁中添加特別的香醋，幾乎找遍了所有地方，驀然想起了手記裏寫的甘甜醋。雖然在找出那瓶醋的過程中花了不少氣力，但現在一切都有了回報，太后與王上的反應便是最好的證明了。

「不過再怎麼樣，這麼爽口的味道絕不可能單由大蒜散發出來。要做出這種酸甜清爽的味道，應該還有其他的祕訣吧？」

「聽了王上的話，好像眞的是這樣，不錯。」太后轉而問長今：「嗯，除了大蒜以外，其他還放了什麼東西嗎？」

「是的，還放了埋藏在地下二十年的甘甜醋。」

「天啊！老天爺……二十年已足以讓江山兩度易主了，不是嗎？」

太后滿意的拍著膝蓋，其他王族們也似以眼神彼此交換著讚嘆，頻頻點頭稱許。稍後，太后以兩盤盤皆都毫無缺點，難分軒輊爲由，將決定權轉交給了王上。

「兩者都是無從挑剔的佳餚，但想到能夠把一種醋料保存達二十年之久的精誠之心，就覺得後者的冷盤更加出色。」

長今終於面露喜色，不管比賽的勝負如何，宴會總算在歡喜祥和的氣氛下進行。而韓尚宮也在此時回來了，給了長今莫大的力量。韓尚宮簡單敘述了她的經歷，但也沒有多餘的時間感慨及討論了，兩人又開始爲下一道菜餚忙得團團轉。洋菇烤牛小排、叫化雞、海鮮鍋飯、山草莓蜜茶、炸水蔘紅棗捲等依序上桌。另一方則以烤醉蚌、烤乳豬、蟹殼黃拌飯、柚子蜜茶和粉炸水蔘來迎戰。

競爭最激烈的項目是叫化雞及烤乳豬，以及海鮮鍋飯與蟹殼黃拌飯。用荷葉包住整隻雞，外面再裹滿黃泥後蒸烤的叫化雞；和剖開母豬的肚子，拿出仔豬來作成的烤乳豬，不管是外型或味道，都算是截然不同的兩道菜餚，但無論如何，散發著淡淡荷葉清香的雞肉與滑嫩無比的乳豬，也在在都刺激著人們的味覺。

盛放海鮮鍋飯的鍋子是以石頭製成，小石鍋只能裝一人份飯量。那時代富豪之家人口眾多，貧戶也生子不斷，使得大灶煮出來的飯量常常不夠食用，因而發明出可單煮一人份飯量的鍋子。不過用石頭鑿成鍋子，倒是之前任誰都想像不到的獨特做法。

韓尚宮在比賽一開始的時候就去找工曹攻治司，請他們製作王上一人御膳所用的獨特鍋子，能夠碰到完全明白她的意思，準確做出石鍋的老石匠也眞是幸運。

終於到了下判決的最後時刻，不僅是王上與王后，就連王族們的一句話都足以影響結果，然而不管怎樣，最重要的還是太后的意見，太后才是最重要的關鍵人物，也是宴會的主角，她做的結論，其他人都不會有異議。

崔尚宮與今英志在必得，雖覺得勝券在握，但仍難掩焦躁的神情，反觀韓尚宮與長今眼神平靜，均已自所有緊張和擔憂中解脫出來。反正已盡力而爲，現在就等最後結果出來，也沒有什麼好焦慮的了。

全神灌注在太后身上的長今突然感覺到一股濕熱，往下一看，原來是身旁的韓尚宮悄悄握住了自己的手。多麼溫暖的手啊！雖歷經長年的水洗、切煮和調味，變得十分粗糙，但那股溫暖仍讓長今流下無聲的淚水。

「兩邊都做出了非常美味的菜餚，特別是乳豬的柔嫩肉質對於喜食肉類的我來說，眞是非常的合乎口味。此外，蟹黃飯也是極品。一一抹上蟹黃的蟹殼，再盛上米飯，滋味堪稱美妙。」

崔尚宮早已緊張得滿臉通紅，提調尚宮得意洋洋，以「妳看吧！」的眼神斜睨著最高尚宮。今英則對長今投以冷冷的目光。不知是否感覺到長今的動搖，韓尚宮把長今的手握得更緊。

「我在這次比賽之前就已經說過了，只要美味、健康，以及妳們的心意就夠了。在美味與健康方面，兩方均都毫無缺點，都算是完美的飲食。然而，對我這個離死不遠的老人而言，這說不定是我此生最後一桌美食，但以一個母親的立場，甚至是百姓之母來說，剖開還活著的母豬肚子，取出仔豬所烹調而成的烤乳豬絕非我所想要的。」

瞬間整個宴會場裏安靜得連呼吸聲都快要聽不到，崔尚宮與今英更是幾乎停止了呼吸。

「以貧困百姓的立場來想，烤乳豬與蟹殼黃拌飯對他們都是太過奢侈的飲食，反觀荷葉或石鍋都蘊含了體貼的心意，雖不華麗卻更合我心。」

韓尚宮不斷施力在握緊的手上，痛得長今幾乎忍不住想請她放手。

「因此，這次比賽最後的勝利，就決定判給獻上這些飲食的韓尚宮。」

第十三章　離別

「下次見面時，想給妳的東西一定會記得帶出來。妳願意接受吧？」

這是出宮休假前短暫碰面，臨分手的時候政浩所說的話。當時心裏怦怦跳的聽著，突然覺得臉頰冰冷。是雪！今年的初雪。像是要證明即使是蕭索淒涼的王宮，還是殘留有可以將雪溶化的溫暖似的，雪不斷下著，而政浩的眼光便如同紛紛飛雪般，漂浮在虛無的空中，最後落在長今熾熱的心口上。

長今照例每七天一次出宮休假，她離開的當天晚上，王上從早就開始腹部不適，還伴隨冷汗直流。御醫趕來把脈診療後，懷疑是染了瘟疫，即流行病。

當晚，吳兼護連夜趕來，與內醫院都提調和典醫監判事等三醫司的首腦們聚集，討論對策之際，長值內侍與提調尙宮也參與協商。

「確定是瘟疫嗎？」

吳兼護猙獰的瞪視著御醫劉祥踐追問，由於王后產下王子的關係，讓他只好打消讓姪女成爲國王後宮妃子的計畫，要是現在王上有任何不測的話，就有可能危及自己多年來所累積的財產，甚至還可能連自己始終都沒滿意過的戶曹麾下，宣惠廳堂上的官位都難保。

「脈盛而燥，伴隨惡寒，時有發燒症狀，耳朵浮腫疼痛，似乎是瘟疫中的大頭瘟症。」

又稱爲「雷頭風」的大頭瘟症是很常見的瘟疫，但致死率也很高。

「是瘟疫沒錯嗎？」

「流行病才控制好沒多久，怎麼又發生這種事啊？」

「今年夏天水害嚴重，天氣早就該冷了，卻到現在還這麼溫暖，或許因爲如此才會使瘟疫格外猖獗。」

一般認爲流行病都是發生於該冷不冷、該熱不熱的時候，特別是大頭瘟症，通常是感染到異常天氣所產生的鬱氣，才會發病。

「所言爲眞的話，那該如何是好？不管怎樣，就算是瘟疫，也沒法將王上隔離啊！而且這件事萬一洩漏出去的話，則不只是朝廷，恐怕整個國家都會動搖……」

「所以初期就要控制好才行，已經想好處方了嗎？」

「針灸治療後，先投以既濟解毒湯，四、五天後，如果仍不見好轉，再投以荊防敗毒散。」

「大頭瘟雖然是邪氣聚集在身體最高處所引起的，但也絕不能只使用壓制的藥物。性冷的藥必須先曬乾，或炒過再吃也是這個道理。」

事態嚴重，緊急中馬上開始照處方治療。喝了既濟解毒湯的王上在劉祥踐的勸說下，為了要讓藥效流過全身，立刻躺下來休息。

那之中，令路覷著長今出宮不在的時候，翻遍了她的房間，這全是因為令路看崔尚宮一直咬牙說長今絕對耍了什麼小手段才會贏，為了安慰她而說出了意外之事。

「在準備太后娘娘的生辰宴時，我曾瞥見長今不知道藏了什麼小冊子，常偷偷拿出來看。」

「小冊子？」

最早以為是被最高尚宮拿走的歷代最高尚宮代代相傳的祕笈，但如果是那本冊子的話，崔尚宮自己就已經倒背如流。記得裏頭並沒有記載著什麼石鍋啦，荷葉叫化雞和大蒜調味汁之類的內容。再者，以最高尚宮自命清高的人品來看，也不像會把祕笈傳給長今。

雖然在比賽中敗北，卻仍不想就此放棄最高尚宮的位置。目前丁尚宮還在位，也就是說在韓尚宮接任前，仍有希望，所以不管用什麼手段，一定要加以制止。崔尙宮下定決心要找藉口，一定要找個可以一舉除去她們所有人的藉口。

崔尙宮於是指使令路祕密找出那本小冊子，她恐嚇令路說，如果韓尙宮成爲最高尙宮，長今也一定會逐步成爲水刺間尙宮，到時，她可能就會淪落到比在地上爬的螞蟻還不如的地步，讓令路把找冊子當成了第一要務。而就像老鼠至少也會打洞一般，令路拚命的完成了這件任務，手握飲食手記的崔尙宮於是意外的發現長今竟然是昔日宮女朴明伊的女兒，整個人立刻陷入極端的恐怖當中。

如果有一天長今揭穿了那件事，不僅最高尙宮的位置想都不用想，搞不好連性命都難保。目前看起來她好像還不知道是誰害死她母親的樣子，唯有趕盡殺絕，才能免除後患，那時眞該斬草除根才對。難怪近來會像老樹幹上的瘤子一樣，諸事不順，原來就因爲長今是朴內人的女兒！反正她們母女倆的命運就是與崔氏一族無法兩立。

王上的病勢不僅不見好轉，反而嚴重到出現胸口鬱悶、呼吸困難、頭暈目眩的症狀，最後王上的病情終於傳入太后耳中，並散播至全王宮。奇怪的是，曾經說過病勢若不見好轉，將投以荊防敗毒散的劉祥踐卻不再用藥，反而改以生藥材煎汁，令人不解。儘管長値內侍一再敦促，仍不爲所動，甚至在用藥的時候，還以避免傳染要求所有人都迴避。

長値內侍可能會相信，但老謀深算的提調尚宮可就不那麼容易受騙。防止傳染的方法已經都用盡了，視力可及之處，全掛滿了內裝雄黃、羚羊角、白礬和八樹皮粉末的紅色綢袋，並用染色的布料加以包裹，再拿到大殿前的廣場上去焚燒。這樣還無法安心，每回都得用紙芯沾麻油或雄黃粉抹在鼻孔內，才敢進入大殿，她認爲一定是有其他的原因，劉御醫才會摒退眾人。

於是提調尚宮派遣崔尚宮到內醫院去，探知劉祥踐奉上的湯藥內容。人蔘、茯苓、白朮、芍藥、甘草、新菊……終於發現那根本不是荊防敗毒散，而是蔘朮健脾湯。蔘朮健脾湯是用在消化不良、胃脹氣、腹痛或因消化器官黏膜浮腫所引起的嘔吐治療上啊！

提調尚宮接受了崔尚宮的建議，不立刻上報這件事，反而祕密地喚來劉祥踐，把詳細的證物攤在他眼前，劉祥踐見事情已無法抵賴，只好俯首招認，一一吐實。

「本來以爲是瘟疫，實際上只是消化不良。」

「竟然會鬧出這種天大的錯誤，身爲御醫的你連消化不良都診斷不出來，還下了瘟疫的處方？」

火上加油的是，竟然還在因消化不良而身體虛寒的王上身上猛下大黃和黃連等降熱的藥物，當然會使得病情加重。而且爲了讓藥效向上散發，又請王上一直躺著不動，也是一大疏失。

「御醫，現在你的一條命保不保得住，就看你肯不肯合作，你說該怎麼辦呢？」

「要我怎麼做？」

就這樣快要沒命的御醫與提調尚宮和崔尚宮之間，對於代罪羔羊的人選，馬上就有了一致的決定。崔尚宮雖惋惜長今正巧出宮去而錯失了可陷害她的良機，然而只要讓韓尚宮呑下誘餌，長今自然也就脫離不了干係了。

隨著內醫院診斷瘟疫的起因出於飲食，公布前一晚的御膳是引起問題的癥結後，水刺間立時變成了修羅場。當天輪値的韓尚宮與最高尚宮都被叫去，受到嚴酷的審問，韓尚宮自始至終表情鎭靜，不慌不亂，只一再的堅持晚膳沒有任何問題。

事實上，御膳在味道與營養方面都沒有問題，而且在準備醃生蟹的同時，也特別交代生果房不可進柿子，因爲柿子有收斂的作用，如果和醃生蟹同食，恐怕會導致消化不良與食物中毒。

不管是水刺間還是生果房都沒有忘記或怠忽自己的職守，問題其實是臨幸後宮的王上自己吃了敬嬪朴氏給的柿子核桃果，才會出了事。但那原本也只是引起單純的消化不良罷了，直到次日劉祥践誤診爲瘟疫，才把讓事情鬧大。

不明就裏的韓尙宮與一心只想誣告他人罪名，以求脫身的劉祥踐，其實都感到一樣納悶。韓尙宮是因爲自覺無罪而深感納悶；劉祥踐則是苦於無法找到更具體的罪名。儘管已診斷瘟疫的原因是出在飮食，但僅以這點做爲罪名，名義上仍稍嫌不足。何況不管是瘟疫或其他，就無法及時控制住王上惡化的病情這一點，御醫便無法脫卸責任。

本想借刀殺人，除去政敵，於是隱身幕後的兩位尙宮此時正式出面。崔尙宮向監察尙宮告密，請她留意王后宮殿周圍，結果在大造殿基石下發現了符咒，施法讓腹中男兒變成女兒的符咒再度登場。之前就收買好的術士指證是韓尙宮所託，事件從此走向無可挽回的地步。

那些原本看似想要私下掩掉的問題，此時紛紛浮上檯面。從德九那兒聽到消息的長今急急忙忙趕回宮的時候，韓尙宮已被送往義禁府去了。等爲了追查幕後指使者，開始施用亂杖刑時，就連最高尙宮也被拖進了義禁府，水刺間的尙宮和內人們也一個個被叫喚過去，受到嚴厲的審問。

「不應該這樣的……不應該這樣啊……」

在無法置信的現實當中，長今簡直連哭都哭不出來。想到能夠求救的人，只有政浩一個，但那麼巧的，他偏偏長期外出不在宮裏。長今不知道的是，政浩當時是下行到成均館的學田去了。透過內禁衛長證實，被盜運的人蔘確實都流入崔判述商團的手中，暫時無法可施的情況下，只能再度前往該地，看看能不能找到更明確的證據。

睜眼煩惱到天明的長今決定去見王后，除了王后，再也沒有人可以挖掘事情的眞相了。自己曾爲了那符咒被關的往事，因爲母親的飲食手記而無法辯解所蒙受的冤屈和痛苦，以及若有必要，連連生看到今英的事情，長今都打算要講出來，韓尙宮就要死了，如果韓尙宮死了的話，又有什麼好隱瞞、有什麼好守密的呢。

長今最先去找的是長値內侍，在比賽期間，一天當中可以見到他好幾次，平常想找他卻不是那麼容易。

「我也不相信，現在也到處打聽，但能下示翻案調查的，也只有王上而已，可是王上臥病在床，我也沒有辦法啊！太后形影不離的守在旁邊，我根本沒法向王上稟告，還得避開提調尙宮的眼線……」

「那難道不能改向太后稟告嗎？」

「現在太后眼中除了王上，哪還有別人？我一定會找機會跟王上稟告，所以就算擔心，也再等等吧。」

「尙磊公公您比誰都明白已經沒有時間再等下去了啊！聽說就算是摔角的壯士

也無法忍受亂杖刑，那麼請您至少先想想辦法，讓刑罰停下來也好啊！」

「唉，這眞可眞是件傷透腦筋的事，我也沒辦法管啊！一個弄不好，說不定連我都會被牽連進去。」

看來這事光靠堅持並無法解決，平常與韓尙宮和最高尙宮爲善的人，現在誰都避之唯恐不及。

「那麼，請您設法讓我晉見王后！」

「妳說要我設法讓妳晉見王后？妳是認眞的嗎？」

「當然是很認眞的。」

「在這件事情裏受到最大衝擊的人就是王后，妳還想見王后做什麼？」

「就是因爲那樣，我才更要面見王后，稟明事情眞相，請設法讓我見見王后吧！」

長値內侍一臉爲難的陷入思考，對長今來說，即便只是等待他開口的這一小段時間，也焦灼到全身的血液好像都要流乾似的。

「如果事情辦成了，我自然會派人去告訴妳，妳就先回去吧。」

「那您是答應幫忙了？」

「我答應妳會向王后稟告，但見不見妳，就要看王后的意思了。」

回到處所只能心急的等待消息，就像俗話說的，一刻彷如三秋。只要一想到在自己空等的時間裏，韓尚宮正處於無盡的酷刑中，長今就坐立難安。夜深了，心急如焚，仍不見長値內侍傳來任何訊息。就算王后拒絕，這個時候也早該派人過來通知了，或許長値內侍最後也決定和眾人一樣，來個明哲保身，抽手不理。

再也等不下去了，長今忽地起身往大造殿走去，韓尚宮若有任何不測的話，自己也活不下去了，不，是不想活了。橫豎都要一死的話，至少也要大聲疾呼之後再死。

往大造殿去的路上守衛森嚴，放恣事件之後戒備更加綿密。但長今已不像以前那樣只會毫無頭緒的閃躲。在王宮裏生活久了，對於守衛體系多少有些認識。所謂的禁軍三廳，指的即是負責王室戒備與保護安全的內禁衛、兼司僕與羽林衛三廳的全體武官。

禁軍專門負責守備王上居處附近，禁止一般人出入。宮裏有四處的衛將所，輪番巡察，帶頭的將校們且均得佩帶擲奸牌，那是在搜索僞裝或變裝的犯人時，巡察將校必須攜帶，以便出示的圓形木牌。

長今藏在衛將所附近的殿閣下，抓準輪替時間的空檔，翻過大造殿的圍牆。穿著裙子實在不好翻牆，但在緊要關頭也顧不得遮遮掩掩了。結果不知是勾到了裙襬還是踩踏過於用力，在跳下地面的瞬間，瓦片竟然發出了碎裂的聲音，並掉了下來。

「什麼人？」

緊跟著森嚴聲音而來的，是許多快速朝這裏移動的影子，聲音從大造殿前方發出。長今跳下立定的地方，就在建築物附近的圍牆下面，就算想找個藏身之處，也只有一株還不及自己高的圓柏樹。

長今就在中宮殿侍女尚宮的注視下，被禁軍士兵拖了出去。聚集的火把閃爍，照得眼睛都快睜不開來。但在最先的恐怖鎮定下來後，心裏反而變得更加冷靜。

「什麼人竟敢翻過中宮殿圍牆？」

「請讓我見見王后娘娘。」

「大膽！竟敢逾越內人本分，妳知道自己現在是在哪裏嗎？還敢如此撒野！」

「我有話一定要稟告王后，求求您讓我見見王后娘娘。」

「咦？妳不就是參加太后生辰宴比賽的內人嗎？原來是和暗藏符咒的韓尚宮同一派的大膽賤人。」

現在也顧不得反駁他的辱罵了。「就是因爲這件事，我有話一定要稟告王后娘娘。求求您，求求您，讓我見見王后娘娘吧！」

「來人啊，馬上把這賤人給我拖到義禁府去。」

長今上氣不接下氣的被拖走，心中早有必死的覺悟，索性放聲叫喊，心想如此一來，說不定裏頭的王后會聽得到，然後向下人查問。

「王后娘娘！王后娘娘！」

然而此時王后與太后一同守在王上的身邊，正好不在中宮殿裏。

「王后娘娘！是我長今啊！王后娘娘！」

呼喊王后喊得喉嚨都快破了，但長今帶血的哀嚎一直到轉成空虛的哭泣時，都只有自己聽到而已。

明明肯定是掉在附近的草叢裏，卻怎麼找也找不到。一直珍藏的箭是祖父生前從武官好友那兒受贈的禮物，桃木箭身，雉雞翎毛，箭簇上還特別用金箔鏤刻著祖父的名字。

草長得實在太過茂密，老是纏到了腳踝，用手撥開後還得用力抽出了腳，才能一步步走向前去。突然右腳好像踩到什麼，身體立刻倏地摔倒在地，接著一陣劇痛傳來，才知道自己踩到的是捕獸夾。

「啊——」

被慘叫聲驚醒，才發現叫聲是從自己口中傳出的，全身冷汗涔涔。夢境太過眞實，反讓現實的房間看來陌生，因爲如此，胸口鬱悶、情緒不安的政浩一吃完早飯即準備回宮。分明是同樣的路，卻和不久前與長今結伴而行時完全不同，變得漫長又孤單。

政浩抵達的時候，已經是事件完結之後的事情了。聽說被施以剪刀周牢刑的韓尚宮冤死獄中，丁尚宮則因病情惡化，被趕回老家。

聽到那印象之中一直端莊高貴的韓尚宮死去的消息時，政浩震驚到幾乎無法動彈。

「長今！」

政浩瞬間陷入半瘋狂狀態。

聽人說長今已在四天前被貶爲濟州監營的官婢離開了，想要跨海到濟州島去的話，得先到海南搭船，這一段遙遠的路程，就算是壯年男子不分晝夜的趕路，也需要花上大約半個月的時間。或許騎馬日夜追趕，還趕得及在她上船之前，遠遠的看到她也說不定，捉緊馬韁繩的政浩遂馬不停蹄的上路，趕得雙眼充血。

路程中風雪交加，彷如刀割，但政浩卻在連看不清楚眼前的大路時都不肯休息，雙腳大概只有在爲了餵馬糧草，必須在旅棧停留時才得以暫時著地。肚子越餓人越睏，風雪越是凌厲時，越是不能停下來。因爲政浩知道他現在所承受的一切，長今都在加倍煎熬。那小女子會有多寒多冷，多麼孤單，又多麼悽涼？連皮靴也沒得穿，或許只穿著長棉襪和白膠鞋，撐過這段冰雪路程。每思及此，政浩就不得不強忍住熱淚，更用力握緊韁繩，更拚命趕路。

在一片蕭瑟的竹林當中，頂著陣陣細雪前進，天地間彷彿只餘竹林延伸不斷，卻又突然出現了崇山峻嶺。風雪覆蓋的銀嶺之下，冬柏樹叢不再鮮綠，只見一片暗鬱，但樹葉間隱約可見冒出來的小小花苞，自己已追至月出山。

被粗繩綑綁拖著行走的罪人行列，眼看著就要消失在蜿蜒的路盡頭，急得政浩更加快了速度，馭馬疾行跟上他們的隊伍。

「請問，這裏有個叫徐長今的女人嗎？」

他們個個饑寒交迫，身心困倦，根本沒有人回答政浩的詢問，好像連看他一眼都嫌累似的，馬上又睜著空洞茫然的雙眼跟隨著前面的人往前進。焦慮不堪的政浩穿梭在隊伍前後，漫無頭緒地尋找著長今，可是大家爲了躲避刺骨的風雪，全都縮著頭向前行，根本分不清身形與面貌。

就在這時，一片白茫茫的風雪中，一條如冬柏花般鮮紅的光影映入眼簾，那是長今結在辮子上的髮帶，政浩的眼眶瞬間發熱。

「徐內人！」

長今大驚，轉頭四處張望，終於看清楚叫她的人是政浩，乾裂的雙唇蠕動著，似乎說了什麼，但距離實在還是太遠了，根本無從分辨，他們只能遠遠望著對方。在這情況下，雙方根本無法接近。

「請讓讓！」

翻下馬的政浩，用力撥開眾人，正想往前走的時候，又被一名軍官給擋住了去路。

「我是內禁衛從事官閔政浩，請讓我看一眼，看一眼後我就離開。」

「不行，規矩您也很清楚，不是嗎？」

「不會很久的，難道就不能暫時睜隻眼、閉隻眼嗎？」

軍官態度強硬，政浩情急之下，只好搬出自己的官銜，但對方只是稍顯猶豫，卻還是沒有忘記自己的職責。

「不行，您快請回吧。」

「那是我心愛的女人，這次分離，或許再也見不到面了也不一定。」

「我很想幫您的忙，但這些全是犯了大逆不道之罪，被判重刑的罪人。上頭下令，誰都不能接近的。」

「如果眞是不行，那只要把這個東西給她也好，請讓我傳給她。」

政浩的口氣轉爲請求，軍官終於也無法再冷面硬心下去，便使了眼神，要政浩快點給了，快點離開。

長今伸長了脖子往這個方向看，腳步變得蹣跚。只要她的身子稍有歪斜，政浩的心臟就立時狂跳起來，隨即從袖子裏拿出三色流蘇垂飾，朝長今伸長了手遞過去，長今看到後也盡量把手伸長過來，卻不斷碰撞到其他人的身體，眼看就要接觸到了，卻又被其他人隔開。試了幾次之後，長今的指尖終於捉到了垂飾的流蘇。此時政浩心中驀然湧現想要一把拉她上馬、亡命天涯的想法，幾番天人交戰，緊繃到全身骨骼都咯咯作響。

「一定要回來，我會等妳的。」

不知道長今有沒有聽到這句話，雪下得更大了，長今也想說些什麼，卻被後面的人推擠，一下子遮蔽掉政浩的臉……

政浩茫然地佇立在雪中，就那樣目送長今的背影離去。茫茫大雪中，只見一抹紅色的髮帶像搖曳的冬柏花般顫動，漸漸縮小，彷如心上的一點血滴，漸行漸遠，直到完全消失在視線之外。

維持著不被軍官發現的距離，政浩跟隨在隊伍後方，一起停駐，一起移動。不管在什麼地方，只要他們停下來過夜，政浩就會在旁邊找個地方休息，一切就如同許久以前天壽緊緊跟隨在明伊的身後一般……

船朝著遙遠的大海緩慢前航，政浩目送著船在風雨中逐漸遠去，直到完全消失在海平面的彼端爲止。

掘地成坑，放個水桶接雨水，這種奉天水可以用來洗衣服，如果用竹筒接了放著，也可以長久保存作爲飲用水。不過只要時間許可的話，長今總會不辭遙遠的走到海邊的湧泉台去。此地雨水多，但幾乎都一下便滲入玄武岩裏，成爲地下水，流入深深的地底，再匯集到海邊成爲湧泉冒出。將泉水接在細頸大腹陶甕中，再倒進充做水缸的大陶甕裏保存，是島民長久以來的習俗。

海中有一塊巨大的岩石聳立，聽說這塊漆黑的岩石是古時融岩噴發後，凝結成龍頭模樣的。也有人傳說是龍王的使者來此尋找長生不老草時，被山神的箭射死後變成的。滿潮時，岩石就似龍頭般乍隱乍現。每回注視著彷彿正要飛上天之際，卻突然被定住而無法動彈的龍頭岩，心中便油然而生處境相同的悲涼感。

海看起來那麼的寬廣靜默，如果直直游過去的話，是不是就可以碰到海南陸地上某一個點呢？感覺上，政浩好像還在自己乘船離開的那個碼頭上佇立一般，漢陽到海南雖相距千里，仍沒有橫亙眼前的大海遙遠。

時序才進入三月，這個地方就已開始溫暖，處處孔洞的玄武岩間隙裏，不知名的海濱植物已開出小小白花，提著水甕沿途走過的小徑邊、田畦間和石牆上，到處撒滿了春天的陽光。

濟州監營的觀德亭上掛的懸匾，雖然每天都看著，但每次看仍覺得心酸，據說是世宗大王第三子安平大君揮毫寫成的，正如「重罪者外，不予流配」的題字所顯示，在這片只有重罪者才會被流配來的土地上，唯一可以感覺到王之味的，也只有那塊匾額了。

觀德亭是世宗大王時代，濟州牧守辛淑晴爲了訓練士兵們武藝而興建的修練場，之後又經過了成宗時代的牧守楊讚重修，才有了今日的面貌。而從高麗時代起，倭寇便常到此掠奪、殺人放火，無惡不做。所以爲了遏阻倭寇的侵略，世宗十九年就在此興建了三城、九鎮、十水戰所、二十五烽火台和三十八煙台等等防禦設施。

太宗十六年派令牧守，又將全島分爲兩縣，東爲旌義縣，西爲大靜縣，由縣監治理。

濟州監營前的廣場好像在煮著石刹魚，新判官上任的關係，大夥兒皆忙著打掃或煮食，不分官員官婢，也全都奔向走告。雖然監營名義上的首長是觀察使，但實質的工作卻都是由其下的判官所負責的。

「還以爲妳掉到海裏淹死了呢！怎麼去提個水就一去不回。眞是搞不懂妳耶，明明就有奉天水，幹嘛還堅持要到那麼遠的地方去提湧泉水回來？」

鄭氏發現了長今便嘖嘖叨唸著。鄭氏本是世家夫人，卻因在守寡期間與男子有了姦情，而淪落成官婢。長今念及她年紀較大，總想待之以禮，但她卻十分痛恨他人給予世家夫人的禮遇，彷若自虐般，總說一個淫婦還有什麼好受尊重的。據說，和她產生姦情的是個賤民身分的男子。

「戶房來找過妳好幾次了，問說宴會飲食準備得如何了？」

雖然聽到了戶房來找過她，也不見長今有何反應。在監營之中，觀察使下由中央任命，置有都事、判官、中軍三名輔佐官；一般民政則交給吏、戶、禮、兵、刑、工六房負責。此六房均由該地居民中所選出的鄉吏擔當，刑房第一次看到長今就眼露貪婪之色。

「跟妳說戶房找妳，妳還杵在那裏幹嘛？還不快去快回，醬醃石剎魚有沒有入味，還要靠妳嘗嘗看呢。」

所有的話，長今都不當一回事，戶房又如何，急的話，他自己會再過來。走進廚房，把提來的水倒進水缸，然後出門來到豆醬台。每次只要看到這些雜亂無章的醬甕，腦海裏就會不自覺的先浮現出一棵巨大的松樹，接著是整齊排列的醬甕，與在樹下跪拜行禮、舉行醬祭的民眾，還有裝在小碟子裏的豆醬。最後，隨著那些景象而來的，一定是對韓尙宮的思念。

長今手放在甕蓋上，要開不開的，最後連味道也不嘗了，蓋上蓋子就離開。現在什麼飲食對她都沒有意義了，也討厭會令她想起韓尙宮的醬甕台，但在快步離開時，耳邊卻又不經意地響起吟唱的聲音。

梨花月白三更天
啼血聲聲怨杜鵑
僅覺多情原是病
不關人事不成眠

是丁尙宮曾吟唱過的「多情歌」，當年與連生、昌伊一起聽丁尙宮吟唱詩調時，是多麼的愜意快活啊！思念的臉孔，又帶動起太多、太多的回憶，然而現在那所有的一切都成了傷痛。

此地的風狂暴到令人煩躁，總在毫無防備之下，剝露出每一道傷口，無時無刻，只要經風一掃，總會讓人在風中產生幻聽。

「長今啊！妳是我的女兒……」

長今像逃跑似的離開醫甕台，走向廚房後方，看見了爲準備宴會而臨時搭建的帳篷。幾乎每個菜盤裏都裝滿了海鮮和海草。水質不佳的土地，無法耕種稻米，所以在濟州島上常以雜糧代替白米，以海草代替蔬菜。而且幾乎不用調味料，盡可能讓食材的原味發揮出來，只因爲是熱帶地方，味道通常比較鹹。

鄭氏把去骨切片的石剎魚肉混在豆醬和醬油裏做醬醃石剎魚，巨大的菜盤裏，預備要做羔羊肉串的材料堆得老高，長今也坐在一邊準備煮嫩蕨湯。先把新鮮嫩蕨煮過瀝乾，然後在煮熟的豬肉裏放入切碎的蔥、蒜頭和胡椒調味，再倒進豬肉湯，添加一調羹鹽後煮滾，最後以調水的麵粉將湯弄得濃稠些，調好味道，就是一道美味的佳肴了。另外馬頭魚燉爛，在湯裏放入米，再在煮熟的馬頭魚上抹上魚漿，用小火慢熬。

對長今來說，熬煮馬頭魚粥根本是件小事，但就是提不起勁，覺得心煩，只想快快煮了了事。慣性的拿起了生魚片，但不是用自己慣用的菜刀，總是提不起勁來。又想起了菜刀，纏繞著韓尚宮好友悲願的菜刀……當時眞該把母親那把菜刀帶出來。

「還在想說妳到哪裏去了，原來在這裏啊！怎樣？飲食準備得還順利吧？」

刑房走過來開始糾纏，看著長今的眼光就像垂涎食物的野獸一般。雖然他是那種爲了滿足自己慾望，早就不知道做過多少次嘗試的人，卻也不敢太過恣意妄爲，只能涎著臉在旁伺機蠢動。這一切都因爲長今雖是官婢，但名義上至死爲止，仍然只屬於一個男人，也就是說她永遠都是王上的女人。

新上任的判官看起來像個沒什麼主見的大好人，或許正因爲如此，才會更強烈的感受到判官帶來的首醫女目光不善。

「大人，請您嘗嘗馬頭魚粥的味道。」

「馬頭魚粥……是此地的特產嗎？」

「是的。而且煮這道粥的長今現在雖身爲官婢，以前在宮裏的時候，可是準備國王御膳的內人呢。」刑房炫耀道。

「哦，這樣啊？」

判官很快舀起一湯匙來嘗了一下，但首醫女卻上上下下的打量長今。

「那麼說，這就是能夠吸引王上的味道囉？」

「看起來就是捉不住口味，才會被趕出來的啊。」

首醫女的話讓長今心頭一驚。

「這裏面大概放了一堆的鹽巴代替誠意吧！味道不對啊。」

「那是因爲……此地天氣炎熱，所以跟其他地方比起來，口味較鹹。」

刑房趕緊當成自己的事情一般的幫長今辯解。

「不是鹹的問題，我說的是味道不對。」

首醫女直視長今說，長今也不閃避的正面迎視。儘管話說得唐突直接，但態度卻不令人討厭，況且，只有女人才能眞正的瞭解女人啊！

「不是那裏，是下面……不是，再下去一點……」

鄭氏每晚都因爲皮膚癢東抓西搔，傷口結痂後又皮破血流，被棍棒毒打的部位，滿布傷痕。

「對，對，就是那裏……再捉大力一點。」

每晚都要長今替她搔癢，長今不好拒絕但也不見積極。拒絕的話太沒人情，但只要一看到那些傷口，長今便心如刀割，暗自埋怨爲什麼正好是遭受亂杖刑的傷痕呢？所謂亂杖刑原來是以懲罰淫婦或敗壞倫理的人爲目的，在村人合議下所施行的法外私刑。

韓尚宮不只是被判亂杖刑，還加上了剪刀周牢，即剪刀刑罰，遭受了其中的手臂剪刀刑。在長今被拖到義禁府去的時候，韓尚宮的手臂已經被絞斷了。那是將兩個腳踝交錯綑綁，強迫雙膝跪地，使兩肩相接，雙臂後折綁住以後，再把木棒插入，把手臂弄彎折斷的一種刑法。一面逼迫她吐露根本就不存在的幕後指使者，一面施以剪刀刑，韓尚宮除了死之外，哪還有他途可尋。

躲在中宮殿被發現後，拖到義禁府去時，長今也受到了亂杖的刑罰，那是蓋上草蓆，由數名刑吏持棍棒一陣亂打，算是爲亂杖刑中的一種。雖不至於死，但皮肉之痛難免。受刑之後又被拖到獄裏監禁，發現那裏有一個不知是活人，還是屍體的女人，翻過來一看，竟是韓尚宮！

從頭到尾，韓尚宮只睜開過眼睛一次。

「明伊啊……」

那麼清楚喊出的，竟是母親的名字，那時長今才知道之前韓尚宮口中冤屈而死的好友，不是別人，正是自己的母親。

「嬷嬷！是我啊！是長今啊！我就是朴明伊的女兒徐長今啊！」

「對啊！長今，妳是我的女兒。」也不知道有沒有聽清楚長今的話，總之韓尚宮是如此應答。

沒錯，自己是被趕出宮的母親與父親婚配後生下的；卻也是韓尚宮與飲食婚配後生下的；兩位都是母親、良師與終生的遺憾。

那就是最後的遺言了。送走韓尚宮之後，長今所能做的事情就只餘慟至啼血的哀泣罷了。

世上我最愛的兩個女性長輩，全都在我眼睜睜的注視下離世。之前的母親自己還能夠嚼碎葛根餵哺；但對韓尚宮，卻連那樣都做不到。在母親的遺體上，自己還能堆石成墳；但韓尚宮自己卻只能束手無策的看著她的屍體像件破爛般被抬了出去。

所以看到鄭氏的傷口，才會更覺恐怖。而懷抱三色流蘇垂飾，來到這被棄的地方，無依無靠的自己，也只有鄭氏關懷。

因此長今開始尋找可以不用每晚幫鄭氏搔癢的替代辦法。雖然想要熬煮蕎麥粥，但對一個奴婢身分的人來說，再怎麼求也不可能求得到蕎麥，否則蕎麥可以去除腸胃濕氣與脹熱，不只幫助消化，還可以治療女人的手腳冰冷與皮膚病。

只好退而求其次，找春榆樹皮來代替蕎麥。春天新長的嫩葉可生吃，稱爲「榆根皮」的根部外皮在水裏泡軟搗爛之後，可敷在患部，如果能拿古舊的瓦片在火上炙烤後，再蓋在那上面的話，熱敷效果會更佳。

藥草是這陣子唯一能引起長今注意的東西，雖然原本只是爲了要減輕鄭氏的苦惱，才著手進行，但漸漸地也對其他藥草的種類、症狀，與毒草的區分與效能等等，都有了更進一步的關切，另外也是想爲韓尙宮蒙冤之死求眞相的心情。無法針對何以飲食是造成瘟疫的說法提出合理的解釋，他們就假造放恣事件，然後還嫌不夠似的，甚至誣陷說放了毒草。雖然任何一項都沒獲確認，但長今對於王上致病的原因到底是什麼，實在好奇到幾近瘋狂的程度，更不能原諒連這個原因都無法查明，便令韓尙宮屈死的內醫院那些所謂的醫官們。

「那個三色流蘇垂飾是王上給妳的嗎？」

鄭氏的聲音將長今由深深的思緒當中拉回現實，每次一進房間，先看三色流蘇垂飾已經成爲一種習慣。從政浩手中驚險萬分傳來的三色流蘇垂飾，不管過了多久似乎都還可以從中感受到漫天風雪當中，政浩指尖的溫暖。

「不然，難道妳是因爲偷了三色流蘇垂飾，才被趕出宮來的啊？」

長今苦笑了一下，搖搖頭。

「不管是誰，不要太恨他們。心中有恨的話，反而會先在自己身體裏產生心毒。要報復仇恨的對象之前，心毒就先傷了自己的肝。」

說著這些話的鄭氏，看起來不折不扣地像個世家夫人。

次日，長今洗完衣服，收拾好洗衣籃後便朝向野地走。昨晚爲鄭氏治療時曾看了一下，發現榆根皮已經快用完了。

陽春三月的春榆樹上，鐘形花芽還比抽新葉先開出了小白花。現在想找嫩葉在時間上似乎還嫌太早了一些。

「與其用榆根皮，還不如用羊蹄草才對。」

猛然聽到聲音，轉頭一看，竟是首醫女。她好像也是出來找榆根皮的樣子，掛在肩上的網籃外，露出了幾條粗壯的榆根皮。

「治療皮膚病普通是使用榆根皮沒錯，但其實羊蹄草的效果反而更快。一般平地上到處都長滿了羊蹄草，但這裏卻必須到山上去才看得到，那是因爲濕氣要夠才長得茂盛的緣故。」

「您怎麼知道我是來找治療皮膚病的藥草？」

「宴會上看到全身這裏、那裏搔個不停，聽說是和妳同房的奴婢？」

光憑那樣就知道自己是出來找榆根皮的，她斷然不是普通的首醫女。

「把羊蹄草葉或根搗爛敷在患部上，有很神奇的療效。妳叫她先來給我看看吧。」

「我……要怎麼做……才能知道如何區分各種藥草呢？」長今鼓起勇氣來問

她。

「生長於天地間的，全都是藥草啊！」首醫女長德一副理所當然的樣子說。

「但是可不可以入藥，還有各種藥草的樣子與效能，不是全都不一樣嗎？」

「最常見的藥草就是最好的藥草。」

「……妳不要費心去找那些不常見的東西，就往常見的東西裏去找找看吧。記住最常見的草，就是最好的藥草……」

正將細細品味那句話的眞意時，首醫女已經又不知去向。

那之後，不管是在監營裏或監營外，與首醫女碰面的機會越來越多，但對方總是裝做不認識她的樣子。長今跟她行禮，不要說回禮了，根本就不接受，扭頭便走。雖說首醫女長德的身分只是個小妾，但也算是判官的女人，或許正因爲如此，對於官婢們的行禮致意，才覺得並無必要一一回禮吧！

提著裝了休息點心的籃子往麥田走去，外頭陽光普照。朝廷慣例在各監營裏設地開墾，稱爲屯田，以供鎭將經費之用。然而本爲補充軍費而設的屯田收入，實際上卻多用在一般經費或牧守的私人用途上，官婢們則必須負責耕作，弊端日深。成宗大王時期再分爲軍屯田與官屯田，並禁止義務勞動的陋習，然而濟州島卻仍動員官婢進行屯田的耕作。

麥田面向大海，春陽下日漸成熟的麥穗青綠一片，遠遠望去，往往會分不清哪裏是田，哪裏又是海。反正對這兒的人來說，大海也稱做是農田，海參多的地方就叫做海參田，海帶多的地方就叫做海帶田。無論大海或陸地，只要有產物，就是田地，所以儘管青藍色調名稱有別，但在這裏，麥田與大海的界線其實並不存在。

快要到達的時候，突然聽到麥田裏傳來令人心驚膽跳的慘叫聲，長今連忙奔過去一看，只見長德一臉恐懼，跌坐在石牆底下，面前有一條蛇，搖尾吐信好不嚇人。現場的工人雖不少，大家卻都只站在一旁觀看，沒有一個過去幫忙把蛇趕跑。

長今想找根比較長的樹枝，但臨時卻哪兒也找不到，情急之下，只好搖晃點心籃子，企圖轉移蛇的注意力，再往麥田的方向跑。蛇搖頭晃腦，幾番瞪住長今看，但過沒多久，那股氣勢便全消了。

「長眼睛以來，從沒看過這麼窩囊的事！分明有那麼多男人在場，卻還怕一條蛇，全部都只會站在旁邊看？」

一同走回監營的路上，長德一股腦兒地指著工人們大罵。她不知這裏的習俗，不然會更加大驚小怪。

「此處濕熱，即便在冬天最冷的月份，感覺也很溫暖，所以蜈蚣等各類蟲子很多，蛇也算常見的。加上因爲有崇拜蛇的習俗，所以島民看到蛇既不會打死，也不會驅趕，才會讓蛇的數量越來越多。」

「什麼崇拜，蛇不是邪惡之物嗎？」

「我聽說下雨前，蛇還會半抬身子，舉高頭部，成群流竄。」

「我開始討厭這座島了。」

「您怕蛇嗎？」

「不怕！只是討厭……」

自己的話自己聽了都覺得有點心虛可笑，長德說完也忍不住笑了，與之前冷淡的表情形成強烈對比的笑容。

雖然沒聽到她的感謝之語，但那之後，長德開始要長今跟在身邊，讓她在為日漸增加的患者治療時充當助手，或者帶她一起去找藥草。整個春季都跟在長德身邊往田野或山裏頭跑，不知不覺當中，長今已一頭栽進醫術的世界裏去。

島上既非丘陵，也不是山，高高拔起，又頹然陷落的小噴岩口超過數百個，島民們稱之為火山岳。有一次，兩人來到鹿谷岳，又名水月峰的地方。這裏流傳著一個故事，說有一對名叫鹿谷與水月的兄妹，為了治療寡母的疾病，必須嘗遍一百種藥草。嘗過九十九種後，就是偏餘一種叫五加皮的藥草怎麼也找不到。好不容易千辛萬苦終於找到了，它卻藏在陡峭的山壁下，可是當水月冒險下去採摘時，卻不小心跌落峭壁摔死了。

「故事的結尾呢？」

「什麼結尾？我不是跟妳說水月死掉了嗎？」長今不解長德的問題。

「我是指那位寡母後來呢？雖然嘗過了九十九種藥草，但還是有一種沒嘗到，所以終究死了嗎？」

「嗯……，故事裏沒提到，可能要留給大家自己去猜吧。」

既然說必須嘗盡百草，那就算只缺一種，還是可能會死掉。但五加皮草一般是用來做爲強精劑或鎮痛劑，說少了它就一定會死，好像也不太可能。所以才會長今一說完，長德就覺得不甚滿意。

「我不知道結局，隨便妳自己去猜去想吧。」

這樣忙碌下來，到了登上瀛洲山的時候，季節已不知不覺的轉變成夏天了。在野獸踐踏出的小徑兩旁，波斯菊和九節草滿滿盛開。兩者同是菊花科的多年生植物，外型與顏色均相似，很難區分。

「這是波斯菊，這是九節草……」長今近乎自言自語的說：「波斯菊的花瓣較多，紫色部位的顏色也較深。」

「講什麼蠢話！」

長今先找出了區分的方法，盡量簡單的說出特徵，但長德卻當場責罵她愚蠢。

「藥草是用花來區分的嗎？」

「不然的話，要如何……？」

「如果用花來區分，那花謝了怎麼辦？難道秋天、冬天都不必用到藥草，不需要來採藥草嗎？還有在花開前，也就是初春的時候，又該以什麼來區分？」

聽了以後茅塞頓開，對啊！花開便會花謝，一定還有其他區分的方法，像樹木不就常用葉子來加以區分嗎。

「那……是用葉子？」

「對啊！妳看，波斯菊的枝梗互不對稱，看到沒有？而且葉子的邊緣呈鋸齒狀？比較起來，九節草的葉子就呈卵形，還分成好幾片，看到沒？連花在內，全都可以入藥，可用於治療風濕、婦人病和腸胃病。」

「風濕、婦人病、腸胃病……」長今複誦著。

「沒錯，花謝了以後，枝葉也仍有自己的特色……說到這，丫頭啊！花謝了，妳又要用什麼來區分自己呢？」

「您突然說這是什麼話啊？」長今滿臉困惑。

「之前以爲妳只是蠢，沒想到妳還很愚鈍。以妳現在的年紀，若比喻成花草的話，應該是花正盛開的時節，不是嗎？可是，妳並沒有丈夫；沒有丈夫就不會有子女啊！普通的女人，一旦花謝了，還有丈夫和子女做爲她的枝葉，但妳要用什麼來當成自己的枝葉啊？我就這個意思。」

「我從來沒有想過。」

「從來沒有想過？」

「也不敢去想。」

「那妳幹嘛要這麼努力地學習藥草的事？」

「因爲我有些事情想要知道眞相，不學不會知道。」

「有事情想要知道眞相？那麼，就把那件事當成妳的枝葉好了。」

長今不知道該說些什麼。長德像是長了天眼，分明什麼都沒打探，也沒聽說，就知道長今已經喪失了理想，也不想再找回已逝的夢想。

沒錯，現在只要講到飲食，就會生起滿心恨意，母親也好，韓尚宮也好，都爲飲食喪失了命，自己也無法再回到王宮裏去，就算能回去，韓尚宮也已經不在了。沒了韓尚宮，做出來的飲食也不會可口。又有什麼意義可言呢？如今，想要誠心誠意做出能讓品嘗者面帶笑容的菜餚的那個人，已經不存在了。一切都已經沒有興趣，也已經沒有意義。

和家門輩出最高尙宮達五代之久的崔家，在競爭水刺間最高尙宮比賽中，得到勝利，算是獲得全朝鮮最高實力的肯定，然而這一切卻使得自己在一天早上就失去了最敬愛的人。飲食這東西，做得再怎麼好也沒法讓一個人復活，反而會變成害死人的工具，現在才終於知道那就是飲食的眞面目。

「心中若想要發掘眞相的話，那就得先讓自己睜開眼睛才行啊！以那種被矇蔽的眼睛，不要說發掘眞相了，就連眼前的困境妳都沒法處理啊！妳這傻丫頭。」

「眼睛睜開了，就看得清楚路了嗎？」

「看不清楚，妳不會自己開路啊。」

「連看得見的路，都有許許多多是通往懸崖，讓人落個粉身碎骨的下場，更何況是那些看不見的路，要如何開創呢？」

「還不都是因爲妳只看著眼前的路走才會那樣！其他什麼都不看就直往前闖，當然會撞得頭破血流！應該像這樣看一看波斯菊，看一看九節草，順便觀察有沒有野獸在附近，同時找找看有沒有捷徑可走……愚鈍的人就是因爲只會看那些看得見的東西，才會經常一腳踩空！」

開創自己的路……長今不敢說出自己既愚鈍又害怕。

只好假裝沒聽到，催促長德向前行。樟樹、濟州女貞、圓葉石斑木、野鴨椿、蘇木、馬鞭草……長德一面親眼觀察一些自己過去只聽過名稱的草木，一面在隨身帶來的手冊上勤快地描繪出花葉的模樣；漢拏唐松草、耽羅山水菊、鼠掌老鸛草、漢拏楊柳、野米球、卡庫玄蔘、香青和漢拏小升痲……爬得愈高，草木的高度越矮，但色澤反而越鮮豔。

不過，長德教導得最賣力的，還是藥草。

「這是東北鐵線蓮，把嫩筍有毒的部分去掉就可以食用；根可治療腰膝痠痛、氣喘、風濕、腳氣病、發汗……這個長得像海葵一樣的花叫做雞屎藤，果實可以拿來當作祛痰劑、祛風劑，可治療腎臟炎、痢疾。」

從來不知道天地間竟然有那麼多種類的草木。綬草、漢拏石昌蒲、虎杖根、山蘿蔔花、朝鮮薊、黃菀、鼠鞠草、茅莓、野扁豆、菜豆、山韭菜、牛葉藤……也不知道這許許多多的藥草進入人體內，會產生那麼大的功效。回想幼時在山裏頭玩，看到的也大半是生禽野獸或花朵，說到藥草，活到這麼大，就算努力數，大概也只有用幾根手指頭便算得完的幾種，或許就像長德說的，那是因爲自己的眼睛一向只看那些看得到的東西而已吧。

山頂雲霧繚繞，像極了大灶。

「這裏又叫做無頭岳，果然是沒有頭的山啊！火山岳也是那樣，這島上各座的山丘都沒有頭。」

噴火口湖水陰森得令人害怕，傳說古時候神仙們在此戲弄白鹿，故名白鹿潭。從山頂上看過去，寬廣無垠，更覺哀悽。地上的隆起叫火山岳，海裏的隆起叫島。從山上下來的路，不管怎麼走都延伸向大海，而從下往上的路，則不管再怎麼登高望遠，始終看不見大海的盡頭。島上的路全終止於大海，面對無邊無際的大海，到底要如何才能開創道路，踏上陸地？又是爲了誰在那片陸地上，而想要回去呢？

「一定要回來，我會等妳。」

有政浩在，但儘管有政浩在，自己現在也已經淪爲官婢，又有什麼用呢？

「奴婢也可以學習醫術嗎？」

「我可是第一次聽到這麼愚蠢的問題。」長德並沒有直接回答。

「不行嗎？」長今追問。

「王宮裏的醫女隸屬內醫院，又兼任妓女，所以叫醫妓，妓與婢是同樣的意思啊！一開始如果成不了醫女，就會淪落爲妓女，所以妓女、醫女與奴婢可以看作是同一家族的人啊，不是嗎？」

長德彷彿也在嘲弄自己的處境似的，以譏諷的口氣說出。

「那麼，就算奴婢變成了醫女，也絕無可能擺脫奴婢的身分嗎？」

「聽說最早是因爲世族女眷有病時，無法讓男大夫看病診治，寧可死了算了，才有醫女的出現。當時的醫女大概是從隸屬官廳的幼小奴婢中篩選出來的，所以不管是奴婢啦，還是醫女啦，原本就一樣都屬於賤民身分，沒什麼好分別的。」

「那麼，您說當奴婢與醫女又有什麼不同呢？」長今有些賭氣的問。

「有什麼不同？一個是一輩子煮飯洗衣到老，另一個是減輕人們的病痛，有時甚至還可以救活瀕死的人。妳覺得有沒有不同？」長德反問長今，再接下去說：「當然也有可能在高官宴會中被叫喚過去，成爲他們的小妾！另外王上那麼多的嬪妃，有人生產時，沒有醫女也沒人可幫忙啊。所以說就算一樣是賤民，玩的花樣還是不同的。」

減少人們的病痛，有時還可以救活瀕死的人……，長今似乎又重新找到了自己未來的道路，終於找到了開啓大海之門，回到陸地的理由了。

「我想學習怎麼救人。不再留戀會害死人的飲食，我想救人，學會救人！」

第十四章　重逢

在全心全意協助長德的情況下，長今的醫術也日漸精進，從前採摘蔬菜，現在忙著打點藥草；從前烹調飲食的雙手，現在改而觸摸病患的身體。每天晚上熟讀醫書，白天再將那些理論做實際的應用。

長德在毒草與毒蛇的解毒方面造詣頗深，並擅長治療蛀牙與皮膚病。她高明的醫術經過患者的口耳相傳，接踵而來求診的患者絡繹不絕，日日皆將濟州監營擠得水洩不通。

太祖時爲了地方百姓的醫療，下令在各道設立醫館各一所，內置醫員與採藥人，不過最重要的人員是教諭，由他負責指揮監督所屬醫館的醫員與採藥的藥夫，另外也得負擔搜集藥材，選定後再上繳至中央。成宗九年又將藥夫改爲專職採藥人，並採世襲制度，免除各種雜役。上繳後所剩餘的藥材則放在監營中，用於民間治療。然而，此種制度卻未在濟州島上生根，以至於長德雖爲判官的小妾，仍得擔任醫女，連藥夫的工作都得負責。

長德擅於治療牙疼與皮膚病的醫術不僅聞名於濟州島，聲名還遠播至漢陽，尤其有名的是她治療蛀牙時，會以銀簪為工具。銀雖然可用來辨識毒性及消毒，但臨時把插在頭髮上的銀簪拔下來當作治療工具，卻是令人咂舌的機智反應。

長德在第二年春天應漢陽士大夫們的邀請，離開濟州島遠赴京城治療病患，可是即便她不在，病患還是絡繹不絕，首次單獨負起治療工作的長今儘管心情緊張，還是運用之前已算嫻熟的醫術，小心翼翼的治療病患。

因牙痛而來的患者以老人居多，大部分都是在家先試過用痛的那顆牙咬鹽、咬蔥根，或用煮熟的黑豆汁漱口，再不然就是在車前草或菊花葉片灑鹽後，再用力咬緊等之類的民俗療法都不見效後，才到監營來治療。因為之前用的都是暫時性的止痛方式，導致病情延誤，以至於過來時，十之八九都已經非常嚴重了。

某一天有個老人過來說因為頭痛的關係，不想活了，如果無法治療的話，請長今讓他死了還痛快些。看起來像是厥逆頭痛，原因可能來自於牙痛，所以長今先看了看他的口腔，但發現所有的牙齒都很結實。那麼或許是胃腸病，頭痛也常因水分代謝異常所導致，如果和平常比起來，胃的狀態變差或胃酸過多時，有些人也會因而感到頭痛及暈眩。

「平常飯吃得還好嗎？」

「沒有飯，哪有飯吃啊。」

「消化情形呢？」

「只吃像小鳥食量一樣的東西，還得等消化了以後才能再吃，妳說能好到哪裏去？」

但是嚷著沒飯吃的老人，身體看起來卻很結實，而以老人的年紀來看，一般吃得再多，仍會出現營養不足，但他牙齒健全，身體強壯，實在讓人感到不解。因爲怎麼想也想不通，長今便向陪同老人一同來看診的媳婦詢問他平常飲食的習慣。結果別說什麼沒飯吃了，他不僅貪吃，而且連孫子的零食都會搶，總是偷偷藏起來以後，晚上睡覺時再拿出來自己一個人狼吞虎嚥，因而造成消化不良的症狀，這才是眞正的病因。從小便量也變少的情況來看，胃裏分明是滯水不消。

長今於是調整了澤瀉、赤茯苓、白朮、朱苓、肉桂的分量，開出五靈散爲藥方，先去除胃內積水，再解決伴隨心臟與腎臟疾患而來的水腫現象，如此才算眞正對症下藥。

老人回去以後，彷彿奇蹟似的，頭痛不藥而癒，纏身多時的頭痛不再發作後，他也就不再亂發脾氣，心胸變得寬大，對這樣的結果感到最高興的，莫過於老人的兒子與媳婦。媳婦甚至專程過來再三致謝，說是全託醫女的福，才有此結果，讓長今不知該如何是好，只能被謝得滿臉通紅。

彷如契機般，從此濟州島民的嘴裏開始掛著長今的名字，長今因而經常忙得飯也沒時間煮，衣服也沒時間洗，鄭氏當然也就越來越嘮叨。雖然得到判官的許可，可以專心治療病患，長今卻也無法拋開對鄭氏的歉意。

這天，難得沒有任何病患，長今因爲想提湧泉水，便來到海邊。從小到大，先是在山腳下度過童年生活，懂事後，又在九重宮闕中過了許多年，可說幾乎從來沒有見過大海。來此之後，才知道世上還有如此蒼茫無際的景致，但也沒有寄寓感情。

奇妙的是，隨著時間的流逝，如果久不見大海，又會覺得鬱悶不安，顯然是在不知不覺當中對大海產生了感情。原本以爲已經失去一切，再也沒法接納任何東西，想不到大海進入了內心，新認識的人、新的藥草知識也一一進駐，這種變化連自己都感到驚訝。或許失去一切而空出來的心，反而更容易接納新的人、事、物。

大海就像新鮮海帶表面一般滑順閃耀，海天相接處夕陽殘照，彩霞滿天。意爲深且遙遠的島國耽羅，雖然同是朝鮮領土，距離又是那麼的遙遠才會被冠上「國」之名吧。

「長今啊！·長今！·」

鄭氏急切的呼喚聲傳來，跑到這麼遠的地方來找她，應該是有很危急的病患吧。

「那邊，南邊的村莊來了一個男子，現在在我們那裏嚷嚷著他老母快死了，急得邊摔東摔西，撞來撞去，把東西弄得亂七八糟。」

「摔東摔西，撞來撞去？」

「嚷著說如果沒有馬上帶醫女過來的話，大家就同歸於盡。」

長今只得跟著男子來到遙遠的村莊出診，由沿途的問答，得知男子母親是個海女。海女因長時間停止呼吸，潛入深海中活動的關係，經常因爲水壓強與空氣不足，受慢性頭痛、幻聽、耳炎、腸胃病、神經痛和關節炎等宿疾之苦，又因爲海風與濕氣的關係，也時有咳嗽氣喘的現象。

男子的母親爲大上軍，一生都在海中度過。海女在海中活動的等級由「幼上軍」開始，一路經過下軍、中軍和上軍，才能到達「大上軍」級。

男子說母親從很早以前開始就屢爲癰所苦；癰，即生疔，是濟州島人除了寄生蟲疾患之外，另一種最常見的疾病。寄生蟲疾患多是因爲氣候溫暖潮濕的關係。而從男子母親的劇痛情況來看，應該是拖延過久而成了惡症。

一般來說只要使用韓信草或白芷根，加上龍葵或整株鴨跖草下去一同搗爛，然後用汁液擦拭患部的話，就能讓症狀好轉。或用生綠豆磨粉敷在患部，或用香菇煮水擦拭亦可見效。然而如果情形比較嚴重，不僅外部紅腫，裏面也已化膿的話，就有可能致命。所謂癰，指的就是氣血不順所引起的滯礙，即失調所造成的結果。六腑失調生癰，加上原有的疔瘡加速化膿，自然會讓病情變得更加沉重。這裏頭心火旺盛是最大的問題，近水者心火通常旺盛的論調看似矛盾，但只有在陸地上呼吸，到了水裏就得屛住呼吸的工作方式，因而導致海女身體不適也不無道理。

濟州島人的神堂裏通常祭拜海女神或海龍王，甚至相信祂們是健康的守護神。一般咸信只要向這些神祈求的話，病就會痊癒，大多數人也因而錯過了治療的時機，讓疔癰長得更大。信奉海女神的神堂，有獻祭牲禮後，再奉上煮熟雞蛋的風俗。認爲如此一來，身體就像剝掉蛋殼後光滑白嫩的水煮蛋一般，擁有白皙滑嫩的肌膚。

癰長在大上軍背上，高高腫起如座小丘，患部發熱表示裏面已化膿，輕按患部，一開始還沒什麼感覺，但若用力壓下，則會痛徹心肺的暈厥過去。

「深處充膿，無論如何要切開才行。」

「切開？把我的肉切開？」

大上軍一聽說要切開，馬上嚇得魂飛魄散，動彈不得的病人只能拚命吵著要兒子帶她去向海女神祈求，就讓鮑魚貝吸住算了。

「什麼叫鮑魚貝？」

「那是這裏特有，長得如笠帽狀的一種貝類，緊緊吸附在岩石上生存，吸附力強到必須用刀才挖得下來。聽說拿那種貝吸住生癰的地方的話，牠強大的吸力可以讓癰疔很快就好起來。」

「那只是暫時性的方法，癰疔又分爲五發，好發在頭部、耳下、眉上、下巴和背部，五處都可能致死。如果不連根清除，時間久了，深處的腫膿就會擴散到臟器，到時就藥石罔效了。」

大上軍還是硬撐著說絕對不要，爲了母親的無理取鬧，早已傷透腦筋的兒子，此時也拿出了殺手鐧，說她再不接受治療的話，自己就要離開海濱到陸上去，老母親這才順從的把自己交給長今治療。

長今也暗自告訴要自己千萬要小心，連針灸的技術都還不是那麼嫻熟，更別說得切開患部這種事了。雖說自己擅於用刀，但這次動刀的對象可不是食物，而是人肉，又是只在書上讀過，從沒實際經驗的治療法，更得小心翼翼才行。

長今先將癰的頂端以放射狀切開八道，再擠出黃膿，進行了兩次針灸治療。一旦膿擠出後，心上那塊大石便可放下了，然而病患的痛苦仍不容小覷，所以等治療告一段落時，三人已經都累得幾乎說不出話來了。但要是不把餘毒清除乾淨，就又會開始流膿，有礙傷口癒合，所以不管多累，長今最後又用石硫磺燒炙了傷口，才放心離開從那裏出來了。

外面的天色不知何時已變得一片漆黑，長今開始後悔拒絕男子要護送她回去的建議。沒有星星，連月亮都被快速移動的雲朵遮住，讓夜顯得更加淒冷與陰暗。海面上風平浪靜，只有夜霧籠罩，形成一股怪異的氣氛，海的那邊則傳來從沒聽過的奇怪聲音。

長今像被人追趕一般，不斷的加快腳步，眼睛卻又忍不住的老是往海岸方向瞧。雖然一再告訴自己不要看，注視前方趕快走，可不自覺的就是會回過頭去看，而就在往後看的瞬間，月亮正好從雲裏探出頭來，照亮了海岸，長今只見一艘巨船無聲的航近，過了一會兒，甚至冒出無數黑色的人影，開始往村莊的方向衝。

監營如往常一般平靜，長今直奔官邸喚醒判官。

「什麼，有倭寇來襲？」

判官嚇得在原地團團轉，不知該從何反應。赴任才沒多久就碰上這種事，更是不知道該如何處理，緊急地忙下令點燃各烽火台，並吹響號角，召集所有士兵。

濟州島上常有倭寇入侵，所以世宗時代，安撫使韓承舜便已將此聯絡體系整合完備，確立烽火制度。沿著海岸線一帶，廣設烽火台，只要山丘上點起了烽火，就可將緊急狀況告知以濟州城起始的各鎮及防禦所等處。

然而，烽火這種聯絡體系，最主要得依賴肉眼觀察，如果天候狀況不佳，就會減慢傳達的速度。這天晚上也是如此。吹響了號角，點燃了烽火，相互示警的水路聯合攻敵作戰卻沒能達到預期的效果，全都因爲該死的夜霧壞了事。

越過西歸鎮而來的敵人，次第占領一個接一個村莊，連三浦倭亂當時曾經激烈抵抗的村落，此次也束手無策，只能眼睜睜看著敵人入侵。濟州監營防禦陣線全部崩潰，只抵抗了四天便淪落到敵人的手中。

村莊被火焚燒，住民遭到屠戮，充滿濟州島民俗風情的漁網屋頂、谷澗和榧樹林全部陷入火海。長今頓感魂魄盡失，好不容易才在此地找到安定的力量，卻又再度一下子便灰飛煙滅，消失殆盡。外在一切全部消失，僅剩自己獨存的狀況，更覺可怕，爲什麼自己所到之處都會帶來災難，連帶也使得自己跟著毀滅呢？

才熟識的人們不是死了，就是受傷，或被監禁。倭寇以需要人手服侍爲由，放過了長今與鄭氏。唯一不受影響的是刑房，掌管刑典事務的他爲了活命，竟投靠到敵方去，對待島民甚至還要比那些倭寇們更殘酷暴虐。

「他們只要有一點不高興，就會拿刀殺人。所以妳一定要好好準備些合倭寇長口味的飲食才行。」

沒法治療受傷的士兵，反得煮飯去給倭寇長吃，長今的心情委實鬱悶到極點。然而倭寇長卻一粒飯也吃不下，不知是否因爲口味不合，甚至沒過多久就得了重病，不得不把島內醫術較好的醫官們都一一找來，可是那些人卻沒有一個得以返家。因爲別說是治療了，連病名他們都診斷不出來，所以當場就被砍了頭。已經沒有醫官可以再叫來看病了，於是開始遍尋懂醫術的一般民眾。

「大事不妙了！說要是再找不到會治病的醫官，那麼每過一個時辰，就要殺掉一個人。」

與鄭氏一起在廚房裏忙著時，刑房突然跑來大呼小叫。

「什麼，每過一個時辰殺掉一個人啊？」

「對啊，是這麼說的，這種事他們是絕對做得出來的啊！」

「醫官都死光了，要到哪兒去找啊？」

「誰說都死光光啦，明明就還剩下一個……」

刑房話說一半，瞄過來的眼光讓長今全身都起了雞皮疙瘩，忍不住便大聲喊叫：

「我不要！」

「現在不是妳要不要的問題，而是每過一個時辰，就會有一個人被砍頭啊。」

「我沒有辦法治療敵人的倭寇長，再者，就算我願意出面，身為首領的人又怎麼可能會把自己的身體交給一個敵方女人治療。」

「那個妳就不必擔心了，都快沒氣了的人，什麼時候了，還會計較那個嗎？」

刑房並非為村人的生命在擔心，貪婪的眼神在在顯示出他自己想要立功的私心。長今心裏湧起了壓抑不住的嫌惡與敵意，眞想當場往他臉上吐口水洩憤。

「如果妳一直說不要的話，那也沒辦法了……不過我說啊，這第一個犧牲者是不是乾脆從身旁的人找起呢？」

一面說著，一面就上下打量鄭氏，鄭氏被刑房看得渾身寒毛豎立，坐立不安。

「我會給妳時間好好考慮的。」

長今雙手握拳，全身因為忍耐而劇顫，恨不得有能力殺掉大聲假咳走出廚房去的刑房。看著鄭氏用混雜著恐懼與憤怒的表情注視自己，長今知道已經沒有什麼選擇的餘地了。

倭寇長的牙齦像泡水的絲瓜絡一樣腫脹裂開，血流不止，身上皮膚也到處可見淤血般的青一塊、紫一塊，各處關節均有水腫現象。從找不太到脈搏、身體疲勞的情況來看，病情已深入腎臟，如果放著不管的話，很快就會因爲腎衰竭而死亡。

「這種病經常發生在以航海爲業的船員身上。」

刑房負責翻譯，濟州島鄰近對馬島，能說流利日語者不少。

「病名是什麼？」

「好像是壞血病所引起的急性腎衰竭，長期航海，往往會因無法食用足夠的蔬菜水果而導致壞血病，若一直置之不理，就會引發腎臟的併發症。」

「能夠治療嗎？」

「壞血病可以早晚使用青皮、陳皮或柿葉控制，但目前關鍵在於急性腎衰竭的治療。」

「我沒時間在這裏停留太久，兩天內治不好的話，我就把妳這賤人的頭給砍下來！」

「可以，不過我有一個條件。」

「條件？」

寇倭長開始大聲笑起來，笑到腰桿幾乎都直不起來了，接著又嘎然而止，狠狠的瞪住長今，好像就算不用刀，光那眼神也可以把人殺掉的樣子。

「不幫我治療，我只需要宰了妳算數。妳覺得我看起來像是會以自己的生命作籌碼，和一個卑賤的奴婢談條件的人嗎？」

「那請你殺了我。」

「妳說什麼？」倭寇長懷疑自己聽錯了。

「我是個早就該死的人，一點也不害怕死亡。」

倭寇長用著足以殺死人的眼神打量著長今，把自己的身體交給一個女人已經夠羞恥的了，何況是以首領之尊，去和一個奴婢打交道、作協議？

但是……「好！說出妳的條件吧。」

「把所有用船帶走的人都放回來，而且是要毫髮無傷的回來。」

「小小奴婢個性還挺倔的嘛。知道了！不過，如果兩天之內沒有治好的話，不只是妳，這島上所有兩條腿的畜生都得帶走，宰了剝皮。」

「所謂急性腎衰竭症是因爲負責排泄與調節的功能失效，漸漸無法恢復而引起的一種病症。流向腎臟的血液受阻，就算腎臟本身沒有什麼問題，也容易因爲排尿減少的關係，引發血尿現象。過兩、三天，排尿量雖然會增加，但並不代表功能的恢復，那只是一時的現象，所以仍不可因此輕忽。在排尿量回到穩定狀態爲止，必須同時進行可紓解排泄障礙的水療法。」

「沒法治療的話，把我醫死就算了，沒必要說得那麼仔細。」

「雖然你是殺害我的同胞，強奪我們土地的敵人首領，但現在已經成爲我的病患，如果醫者與病人之間的溝通不順暢的話，治療恐怕也不會有多大的成效。」

長今一點也不害怕，把該說的話都說完。倭寇長似乎也覺得頗有道理的樣子，邊聽邊點頭。

「那麼，我先去把針和藥材整理好拿過來。」

雖然看過青皮和陳皮，卻不知道有沒有柿葉，過去也曾聽說過用菠菜治療壞血病的效果很好，但因耐旱不耐濕，所以並不適合在濟州島栽植。滿腦子只顧著想這些的長今，腳步稍見遲疑，馬上就被低沉的聲音喝住：

「妳不是說不害怕死亡嗎？那對妳來說，最害怕的是什麼？」

「……親近的人全都不在，只剩下自己一人，是我最害怕的事。」長今清楚的回答道。

覺得是這座島，結果不是；是那座島嗎？也不是。海天一線，不管怎麼盡力向前航，總得搭船才能到達，遙遠到近乎漫無頭緒。明知海平線那一端就是濟州島，但那條海平線卻不停的移動，彷彿再怎麼費盡力氣也追不上。

從釜山浦一路跟過來的海鷗群在頭頂上盤旋，滿心焦急的政浩，不時低頭看船舷下方。發現船行過處，盡在漆黑的海面上掀起白色的浪花。

有關於長今的處境，政浩也曾數度上書，但朝廷裏誰都不爲所動，最後就連他自己都被調到吳兼護看不到的漢城府去擔任閑職。負責漢陽行政的漢城府，是與刑曹、司憲府共同行使司法權的三法司之一，但是坐在漢城府的書桌前管理戶籍事務，實在不符合政浩的個性。

對於這樣的他來說，倭寇經常入侵慶尙道與全羅道一帶劫掠，就某一方面而言，反而成了一個好機會。朝廷任命他爲討伐軍從事官，派往釜山浦。就在政浩離開漢陽出軍之際，聽到了今英蒙君寵幸，受封爲從四品淑媛的消息。

政浩很高興到釜山浦來，因爲這裏離濟州不是那麼的遙遠。

釜山浦、乃而浦、鹽浦號稱三浦，開港以來便允許日人來此進行貿易，等能夠居留後，倭人數量更如雨後春筍般激增。此三地均設有倭館，專門管理與倭人之間的交易與接待事宜，但因朝廷管理日漸困難，倭人的行爲越發無所節制，令人痛恨起來。

原本不過六十名左右的倭人，到了世宗末年已增至兩千名之多，他們漸漸有恃無恐，態度傲慢的違抗朝廷的命令。在壓制的過程當中，這些人與官吏的衝突不斷。中宗即位的同時，改採嚴厲手段監視控制。一五一〇年，更下令對馬島主宗貞盛將三浦倭人帶離，開始對日本船隻進行徹底的監控。

三浦的倭人們因感到不滿，引發亂事，史稱「三浦之亂」。三浦倭人與從對馬島遠征過來的暴徒合流，總數達四、五千人之多。乃而浦與釜山浦曾一度被他們攻陷，熊川防禦線也被擊破。幸好朝廷馬上任命黃衡和柳聃年爲慶尚左右道防禦使，大破倭寇。此後三浦倭人遭驅逐，朝鮮全面斷絕與日本的交易。

但因日本的足利幕府不死心的持續要求重新建交，於是簽訂壬申條約，於兩年後重新開港，但只限定乃而浦一處。這時已不允許倭人定居三浦，也限制朝日貿易船之歲遣船的數量，增加了諸多嚴格的限制，加深了倭人心中的不滿。中宗並於同年九月斷然拒絕了對馬島主所提出，懇請允許盡量增加歲遣船數量的要求。

一旦在正式貿易往來上受阻，倭寇們的擄掠行爲就更加猖獗。政浩受命來到釜山浦後，便不斷尋找可以去濟州島一趟的機會。他沒有太大的想頭，只想跨海去確認一下長今是否還活著就好，只要能親眼確認長今還好好的活著，那麼就算將來無法再見面，自己也才能懷抱著與她一起身在同一片天地中的想法，努力活下去。湊巧就在幾天前，海上不出所料的出現奇怪的跡象，於是朝廷下令要他們確實掌握濟州島動向，盡速向上呈報。

船雖不停地向前航行，但是站在甲板上的政浩卻不時跺腳，與分離的時間相比，船行速度實在是太慢了。

船抵達海岸邊時，天色已大暗，然而在船停靠的埠頭大搖大擺走動的人影，分明就是倭人，政浩直覺大事不妙。

「島好像被倭寇占領了，船暫時不要停靠，先從這裏泅泳過去，找個地方躲起來，確實掌握倭寇們泊船的位置。稍後你們看到烽火，就盡快聚集過來。之後你們兩個人再駕船回去找救兵，我自己現在就變裝潛入濟州監營去觀察那邊的動靜。」

指示好作戰策略後，政浩把士兵留在船上，自己就先躍進了大海之中。到監營之間，沿途所見，是比想像中還要更慘酷的擄掠殘跡，看到的每個人都處在驚嚇當中，整個村落焚燒殆盡者也不在少數，在這如阿鼻地獄般的苦痛慘境裏，不禁擔心起長今的安危。

在政浩擔心得心臟緊縮之時，長今幸而安然。倭寇長的病情有逐漸好轉的趨勢，首先牙齦不再出血，排尿量也漸漸增多，穩定了下來。

「照約定，我會放了俘虜們。」

一開始雖然半信半疑，但倭寇長似乎會信守承諾的樣子。長今此時才終於放下了心上一塊大石頭，畢竟也曾暗自擔心，如果他好了以後卻不肯放回俘虜的話，那自己該怎麼辦？

「明天天一亮就要離開，妳去準備準備。」

「準備……」長今驚疑交加的問：「什麼意思？」

「我的病還沒全好，妳自己不是這麼說的嗎？」

「意思是說……？」

「妳當然也要和我一起搭船離開啊！」

這眞是才過一山，又有一山；不，該說才過一島，又有一島。雖然不會馬上被殺死，但被帶到對馬島去的話，感覺上好像立刻就會死在那裏似的。屬於朝鮮的濟州島，感覺上就已經遠得不得了了，現在還要被帶離這裏，到十萬八千里外的倭寇土地上去嗎？

那天晚上長今腦子裏千折百轉，甚至想過要如何逃跑，但旋即又打消了這個念頭。島上條條道路均通往海邊，眞的要逃，除了海底龍宮以外，還能逃到哪裏去？也曾想過把倭寇長弄死算了，但不論如何胡思亂想，好像都沒有用，不如自殺，一了百了。

一想到此，眼前馬上閃過兩件事情：還沒有洗刷韓尚宮冤屈的污名，以及政浩的臉龐。

「一定要回來，我會等妳的。」

長今從懷裏掏出三色流蘇垂飾，自從失而復得後，便一刻都不離身的帶著，就連換衣服或洗澡時，也一定放在眼睛可見最接近的地方。原來自己急救的軍官不是什麼李正勉，也不是別人，就是政浩……這是他長久以來珍藏之物，在令人心痛的別離那日，他把這三色流蘇垂飾又還給了自己。

即便手提金雞，趕著要回宮的瞬間，仍無法漠視眼前那個傷重的人，因為忙著到處尋找藥草，所以被救的人和救人的人都沒有看清對方的樣子，等到再度見面，卻仍彼此吸引，意識到相愛的同時，便又得嘗到離別之痛。

天漸漸破曉，就如同父親的遺物又回到自己手中一般，長今相信總有一天可以重回故里。心中懷抱這份信念，她開始慢慢收拾包袱。

倭寇的動向非同小可，援軍要來，最少也得花掉兩天以上的時間。如果那時敵人已經離開的話，自己就只能眼睜睜地看著他們離開，什麼事都做不了。倭寇劫掠良民家宅，甚至監營裏的財物數量龐大，搞不好，為了需要奴婢負擔雜役，還會連良民百姓都全部捉走也不一定。這樣的話，就沒法提前點燃烽火，免得平白犧牲掉士兵們寶貴的生命。

政浩注視著觀德亭方向動態，發現遠方山丘尚有白煙冉冉升起，是烽火！可能是己方軍隊開始作戰的信號。一思及此，心中立刻燃起希望，盤算著如果把散布在島內的軍官聚集起來，或許就可以重新奪回濟州監營。

政浩的想法完全正確。在敵人的控制下，好不容易才逃出來的一名士兵乘船到麗水，與全羅左道水軍節度使營緊急派出的軍隊會合，正一路打回來，次第收復被占領的村莊，現在已經進攻到濟州監營來了。

然而，當他們攻進監營裏的時候，長今已經被倭寇長帶走了。政浩連氣都還來不及緩過來，就馬上點燃烽火，召集士兵共同追擊。內心裏暗自祈禱在自己抵達前，看到烽火的士兵不管怎樣，都已經把船先聚集好，等著共同夾擊了。

到達泊船處時，手下士兵正與倭寇長所率領的敵人賣力廝殺，因見這邊的人數眾多，他們便漸漸往大海的方向退去。海岸邊早泊好了準備有接應倭寇長的小船，那後面則是有著巨大船桅的大船，只待揚帆出發。

一看苗頭不對，倭寇長馬上跑向海中，但他可不是一個人，而是拿刀架住長今的脖子，逼她一起走，並且不知道在破口大罵些什麼，大概是再過來的話，就要一刀殺了她之類的話吧！政浩趕到船埠時，載著倭長與長今的小船已離岸在航向大船去的途中。不！政浩在心裏頭狂吼：不！我無法眼睜睜看著她離開，什麼都不做，那種事後令人懊惱到想死的愚蠢行爲，在海南埠頭做過一次就夠了。

政浩趁著倭寇長的視線停留在正面士兵身上的時候，趁機射出一箭，也就是夢中遺失的那支箭，這一箭筆直貫穿倭寇長的脖子，想把箭拔出來而不斷掙扎的他終於掉落海裏，不久屍身就浮上來，鮮血染紅了一大片的海面。

「大人……這……不是夢吧？」

魂飛魄散中被救出的長今，一看到政浩說的第一句話就是這個。她心裏想著如果這是夢，就算此時此刻死去也心甘情願。

「雖然和妳相約好要耐心等待妳，但我實在等不下去，就自己先過來了。」

長今腳步踉蹌，像快跌倒，又像尋求倚靠般，撲向了政浩等待已久的懷抱。

然而接下來兩人卻仍無法併肩同行，只因濟州牧守與判官爲了開脫無能抵禦倭寇入侵之罪名，就將箭靶轉向長今，誣陷長今爲倭寇長治療，與倭寇勾結，而將長今押送漢陽義禁府。

當時朝廷上因「走肖爲王」事件，無一日安寧。這是以趙光祖爲首的新進士流，和以洪景舟爲代表的動舊派之間的傾軋所造成的慘劇。

即位後十年期間，中宗在政變功臣動舊派官僚們的壓制下，始終無法伸張己志。在之前的戊午士禍與甲子士禍時，許多士林派人士遭到誣詬殺害，儒學也因此衰退，朝廷紀綱紊亂。中宗因而再度重用遭放逐的士林派新進士類。滿懷野心的理想主義者趙光祖便於此時登場。趙光祖主張實現以「性理學」爲基礎的理想政治，在一五一八年擔任弘文館長官副提學後，一路晉升到大司憲。當時的打破迷信、實施鄉約、設立賢良科等措施，均出自他的想法。

然而趙光祖只一味地強調道學思想，對於意見相左的文人理論則全盤否定，甚至課以叛亂罪名，並將所有勳舊派視爲眼中釘，徹底排擠，一心想要實施與現實不副的激進政策，因而造成許多冤獄。而所謂的「走肖爲王」事件，就是不甘一直受迫的勳舊派人士爲了尋求生路，所採取的反撲策略，然而結果卻也只淪爲一齣自導自演的拙劣鬧劇罷了。

洪景舟唆使自己的女兒，也就是中宗的妃子到山坡上，用蜂蜜在樹葉上寫下「走肖爲王」四個字，蟲子自然會避開黏答答的蜂蜜，只啃咬樹葉其他的部分。再把樹葉拿給王上看，希望王上對趙光祖的偏愛會日漸消失。「走」與「肖」合起來就是「趙」，「走肖爲王」即指趙氏即將成王的意思。

長久以來，中宗一直爲南袞、沈貞、洪景舟等勳舊派人士，不斷上疏想置趙光祖於死地所苦，同時也爲新進士派的激進與排他性感到憂心，心情甚爲沉重，中宗既然明知樹葉事件爲捏造，當然就無法置他於死，可是如果一直置之不理，朝廷之上又會眾情譁然。

長今被監禁在義禁府的時候正值此朝廷紛亂之際，俘虜的性命雖然重要，但治療倭寇長之罪亦得受罰的見解，與協助遠征軍掃蕩倭寇理應封賞的見解相互交鋒。政浩則四處奔走，到處求情，希冀引起關注，形成輿論。

然而在被監禁的長今心裏，對於被關在義禁府裏這事，要比死讓她覺得更恐怖。韓尚宮死於此處；在那之前，父親也死於此處。最後，難道連自己這一條命也注定了要終結在義禁府嗎？

「走肖為王」相關的奏疏讓王上不勝其煩，因此只要是奏疏，乾脆全擱置在一旁，瞧也不瞧一眼。

「聽說入侵濟州島的倭寇已經被掃蕩一空了，是嗎？」

所幸下令鎮壓三浦倭亂的王上對於倭寇目前的情況還是關切的。

「那麼，立下大功者是誰啊？」

「是名為閔政浩的人。」

「閔政浩？那可得大大賞賜才行。」

「王上，此番擊退倭寇有功的他上了奏疏。」

費心引起王上注意的人不是別人，正是常值內侍尚磊公公，因一再上奏疏也不見任何反應，政浩只好去找尚磊公公，將事情的原委一五一十地告知。政浩懇求說，因為誣陷的關係，長今被關進了義禁府，現在可以救她的就只有尙磊公公一個人了，無論如何請尙磊公公幫幫忙，只要能讓王上看一眼奏疏就好。

奏疏二字讓王上的臉色有點難看，幸好過了一會兒，他還是回心轉意，展開奏疏看了下去。

「怎麼會有這種事，這名醫女是為了拯救百姓，以自己的生命做為擔保，勉為其難的治療倭寇長，不是嗎？結果非但沒有得到賞賜，還責以通敵罪名，眞是太不像話了！馬上下令義禁府，即刻釋放！」

「是長今，長今啊！唉唷唷，長今啊！」

德九一看到長今，馬上扯開嗓門聲聲呼喚。

「您這一向都還好吧？」長今問候道。

「好什麼好啊？妳變成那樣以後，我每天都為妳擔心，根本沒一天能睡得安穩，吃得安心啊！」

「唉唷，我的天啊！唉唷，撒謊也不怕遭天打雷劈，請大家來看看，看那每天都喝得醉醺醺的人是誰啊？」

「妳這黃臉婆！沒事的話，誰會想要喝那麼多啊？還不是因為擔心長今才會喝酒，擔心啊！妳懂不懂？」

「那你喝了酒，就不會擔心了嗎？啊？」

兩夫婦你一言我一語，互不相讓的老樣子，才讓長今終於有回到了家的感覺。自從跟著訓育尚宮離開這裏算起，眞是走了好長好遠的路，現在總算又回來了。想不到那樣辛辛苦苦地過了十幾年，最後還是回到了原點。

「現在想再回宮的話，恐怕有點困難，怎麼辦呢？妳得勤快點，多做點事，好打點自己的飯錢啊！」

「妳這沒人情的黃臉婆。她吃了那麼多苦好不容易才回來，妳就沒想到該幫她補補身體，就只會急著討飯錢啊？」

「說什麼討飯錢！」德九的妻子自然有她一番道理可說：「我的意思是大家要一起想想怎麼過日子啦。」

「妳之前不是才說這裏是娘家，妳是長今娘家的母親嗎？」

「啊，誰說不是吶？當然是娘家母親啊。不然誰會給不做事的女兒飯吃啊？」

話雖說得刻薄，德九的妻子還是用衣襟帶按了按眼眶。

聽到內醫院醫官來訪，是長今回來兩天後上午的事，雖然德九的妻子交代她去做酒麴，但長今一點兒也提不起興趣，只是無精打采的閒晃。當她正坐在庭院裏的涼床上，看著落在醬缸台上的陽光時，德九突然跑進來說有人找她。

「說是內醫院的醫官，內醫院的醫官幹嘛來找妳啊？」

本來以爲是政浩，聽了德九的話，原本加快的心跳突然就洩了氣，可是一看清楚大門外石牆下，站沒站相的男子是誰後，本來低落的心跳又開始猛烈加速起來。

「大人！」

「我聽說有個醫女治好了倭寇長的病，耳朵就豎了起來，打聽之下，原來就是妳啊。這次又是差點死掉而活了過來對吧？妳啊！到哪裏去都一樣引起騷動。」

「但是大人您可就完全不一樣囉。聽說您復職了，那麼現在也不再喝酒了吧。」

「要我不喝酒，還不如叫我死了算了。」

「聽您這麼說，就知道您還是跟以前一樣，讓人放心。」

兩個人交換了一抹淡淡的微笑，繼續站著說話。穿著整齊得體的鄭雲白看起來活像變了一個人似的。而越加窈窕秀麗的長今也開始露出女人味。原本老像個孩子一樣闖禍，總是驚險的通過一關接一關的長今，不知從何時開始，已長成了眼眸深邃的成熟女子。雲白一發現自己竟然心生遐思，不禁暗暗的責怪，並趕緊找回話題。

「以後打算怎麼過日子啊？」

長今沉吟了一下才回答：「還沒有想到那麼多。」

「也沒法與人婚配，只能終老一生，死後當個姑娘鬼啊！現在甚至被貶爲奴婢身分，妳還眞得好好的想一想了。」

長今只扯動了一下嘴角充做回應，就算他不說，這也是個她想忘都忘不掉的事實。

「以妳的身分來看，往後只有兩件事情可做，那就是永遠做奴婢，或者……」

雲白的話聲停住，深深的凝視長今，臉上的表情顯示無法肯定自己要說的話是否正確，但在內心經過一番掙扎之後，接著從他口中發出的聲音，卻比過去任何一個時候都還要來得更加大聲且清楚。

「成爲醫女吧！」

國家圖書館出版品預行編目

大長今（中）／金榮昡劇本；柳敏珠撰寫；
王俊譯．--初版．--臺北市：麥田出版：城
邦文化發行，2004【民93】
面；　公分．--（電視小說；5）

ISBN 986-7537-866（平裝）

862.57　　93007985

麥田出版

廣	告	回	郵
北區郵政管理局登記證			
北台字第 10158 號			
免	貼	郵	票

城邦文化事業(股)公司

100 台北市信義路二段213號11樓

請沿虛線摺下裝訂，謝謝！

麥田出版

文學 · 歷史 · 人文 · 軍事 · 生活

編號：RU0005　書名：大長今（中）

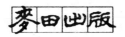

讀者回函卡

謝謝您購買我們出版的書。請將讀者回函卡填好寄回，我們將不定期寄上城邦集團最新的出版資訊。

姓名：＿＿＿＿＿＿＿＿＿＿　電子信箱：＿＿＿＿＿＿＿

聯絡地址：□□□ ＿＿＿＿＿＿＿＿＿＿＿＿＿＿＿＿

＿＿＿＿＿＿＿＿＿＿＿＿＿＿＿＿＿＿＿＿＿＿＿＿＿

電話：（公）＿＿＿＿＿＿＿＿（宅）＿＿＿＿＿＿＿

身分證字號：＿＿＿＿＿＿＿＿＿＿＿(此即您的讀者編號)

生日：＿＿年＿＿月＿＿日　性別：　□ 男　□ 女

職業：□ 軍警　□公教　□ 學生 □ 傳播業

□ 製造業　□ 金融業　□ 資訊業　□ 銷售業

□ 其他 ＿＿＿＿＿＿

教育程度：□ 碩士及以上　□大學　□專科　□ 高中

□ 國中及以下

購買方式：□ 書店　□ 郵購　□ 其他 ＿＿＿＿＿＿＿

喜歡閱讀的種類：□ 文學　□ 商業　□ 軍事　□ 歷史

□ 旅遊　□ 藝術　□ 科學　□ 推理　□ 傳記

□ 生活、勵志　□ 教育、心理

□ 其他 ＿＿＿＿＿

您從何處得知本書的消息？（可複選）

□ 書店　□ 報章雜誌　□ 廣播　□ 電視

□ 書訊　□ 親友　□ 其他 ＿＿＿＿＿＿＿＿

本書優點：□ 內容符合期待　□ 文筆流暢　□ 具實用性

（可複選）□ 版面、圖片、字體安排適當　□ 其他 ＿＿＿＿

本書缺點：□ 內容不符合期待　□ 文筆欠佳 □ 內容平平

(可複選)　□ 觀念保守　□ 版面、圖片、字體安排不易閱讀

□ 價格偏高　□ 其他 ＿＿＿＿＿

您對我們的建議：

＿＿＿＿＿＿＿＿＿＿＿＿＿＿＿＿＿＿＿＿＿＿＿＿＿